bibliocollège

Les Précieuses ridicules

Molière

Notes, questionnaires et dossier d'accompagnement
par Isabelle de LISLE,
agrégée de Lettres modernes,
professeur en collège et en lycée

Crédits photographiques

P.4, 5 : (détail d'une gravure de Schouten d'après François Harrewyn). **P.7 :** (détail de l'image P.52). **P.11 :** (détail d'une gravure de Laurent Cars d'après François Boucher). **P.26, 41, 42, 52, 70 :** (détail de l'image P. 4). **P.97 :** (gravure de Laurent Cars d'après François Boucher) : © Photothèque Hachette Livre.

Conception graphique

Couverture : *Stéphanie Benoit*

Intérieur : *ELSE*

Édition

Emmanuel Meier

Mise en pages

Jouve Saran

hachette s'engage pour l'environnement en réduisant l'empreinte carbone de ses livres. Celle de cet exemplaire est de : 350 g éq. CO₂ Rendez-vous sur www.hachette-durable.fr

PAPIER À BASE DE FIBRES CERTIFIÉES

Achevé d'imprimer en Décembre 2021 en Espagne par CPI Black Print

Dépôt légal : Avril 2011 - Édition 07 - 28/1469/7

ISBN : 978-2-01-281469-1

Sommaire

JEAN BAPT. POQUELIN
DE MOLIERE

**Molière, portrait gravé par Huvenne
d'après un tableau de Pierre Mignard.**

Introduction

Après treize ans d'errance sur les routes de province, Molière fait son retour sur la scène parisienne en 1658. Comédien et directeur de troupe, il espère briller en présentant des tragédies, mais c'est en jouant une petite farce, *Le Docteur amoureux*, qu'il attire l'attention du roi et obtient de jouer en alternance avec les Italiens au théâtre du Petit-Bourbon. Reste à conforter ses positions dans le monde sans pitié des comédiens parisiens. En 1659, il joue, en alternance, *Cinna* et une petite comédie qui lui assure le succès : *Les Précieuses ridicules*. Cabales et querelles se succèdent jusqu'à la parution en librairie de la pièce (1660) – preuve que la comédie n'a laissé personne indifférent. La renommée de Molière est faite : le dramaturge donne ses lettres de noblesse au genre mineur de la comédie.

Devant les Grands Comédiens de l'Hôtel de Bourgogne, subventionnés par le roi, devant la Cour

à l'affût, Molière a su séduire le public des « *gens de qualité* ». Et le sujet de la pièce ? De qui rit-on ?... Des « *gens de qualité* » justement... Défi osé et défi remporté. En effet, à Paris en 1658, la vie mondaine se tient dans les « ruelles » qu'on appellera « salons » quelques années plus tard : univers féminins et raffinés où l'on discute galanterie, littérature, musique... Mlle de Scudéry, notamment, sous le pseudonyme de Sapho, brille et passionne avec ses romans d'amour aux invraisemblables péripéties. La réalité vulgaire est écartée et le langage recherché brode un monde parfait. Telle est la préciosité qui va nourrir l'inspiration de Molière.

Mais, si les précieux de la Cour ont applaudi à la représentation des *Précieuses ridicules*, c'est sans doute qu'ils ne se sont pas sentis visés. En effet, le marquis de Mascarille n'est qu'un valet travesti et les deux jeunes filles ne sont que deux « *pecques provinciales* ». Nièce et fille d'un barbon égoïste, elles repoussent les deux prétendants qui leur sont destinés car elles rêvent galanterie plutôt que mariage. Les deux jeunes gens éconduits décident de se venger en faisant passer leurs valets pour deux précieux. Le salon des jeunes filles se remplit ; on y parle littérature et faits d'armes... jusqu'à ce que les coups de bâton arrachent les masques des deux laquais et dévoilent la « *pièce sanglante* » qui vient d'être jouée.

Épinglant avec insolence et habileté le public qu'il veut conquérir, Molière prend des risques et triomphe ; il sait à la perfection marier les ressources de la farce avec l'« esprit » des salons et sa maîtrise du genre de la comédie lui vaut un succès qui dépasse largement le contexte de la préciosité, car les prétentions et le rire n'ont ni âge ni époque.

Préface

C' est une chose étrange¹ qu'on imprime les gens, malgré eux². Je ne vois rien de si injuste, et je pardonnerais toute autre violence, plutôt que celle-là.

Ce n'est pas que je veuille faire ici l'auteur modeste, et mépriser par honneur³ ma comédie. J'offenserais mal à propos tout Paris, si je l'accusais d'avoir pu applaudir à une sottise ; comme le public est le juge absolu de ces sortes d'ouvrages, il y aurait de l'impertinence à moi de le démentir, et quand j'aurais eu⁴ la plus mauvaise opinion du monde de mes *Précieuses ridicules,* avant leur représentation, je dois croire maintenant qu'elles valent quelque chose, puisque tant de gens ensemble en ont dit du bien ; mais comme une grande partie des grâces⁵ qu'on y a trouvées dépendent de l'action, et du ton de voix, il m'importait qu'on ne les dépouillât pas de ces ornements, et je trouvais

notes

1. *étrange :* particulièrement étonnante.
2. *malgré eux :* allusion à la raison qui oblige Molière à imprimer rapidement son texte pour le protéger de

Somaize, un autre écrivain, qui vient d'en demander l'impression sous son nom.
3. *par honneur :* par modestie.

4. *quand j'aurais eu :* « même si j'avais eu ».
5. *grâces :* qualités, éléments agréables.

15 que le succès qu'elles avaient eu, dans la représentation, était assez beau pour en demeurer là. J'avais résolu, dis-je, de ne les faire voir qu'à la chandelle[1], pour ne point donner lieu à quelqu'un de dire le proverbe[2] ; et je ne voulais pas qu'elles sautassent du théâtre de Bourbon[3] dans la galerie du Palais[4].

20 Cependant je n'ai pu l'éviter, et je suis tombé dans la disgrâce de voir une copie dérobée de ma pièce entre les mains des libraires, accompagnée d'un privilège obtenu par surprise. J'ai eu beau crier : « Ô temps ! ô mœurs ! »[5], on m'a fait voir une nécessité pour moi d'être imprimé, ou d'avoir

25 un procès, et le dernier mal est encore pire que le premier. Il faut donc se laisser aller à la destinée, et consentir à une chose qu'on ne laisserait pas de faire sans moi.

Mon Dieu, l'étrange embarras qu'un livre à mettre au jour ! et qu'un auteur est neuf[6], la première fois qu'on l'imprime ! Encore

30 si l'on m'avait donné du temps, j'aurais pu mieux songer à moi, et j'aurais pris toutes les précautions que Messieurs les auteurs, à présent mes confrères[7], ont coutume de prendre en semblables occasions. Outre[8] quelque grand seigneur, que j'aurais été prendre malgré lui pour protecteur de mon ouvrage, et dont j'aurais tenté

35 la libéralité[9] par une épître dédicatoire[10] bien fleurie, j'aurais tâché de faire une belle et docte[11] préface, et je ne manque point de livres, qui m'auraient fourni tout ce qu'on peut dire de savant sur la

---

notes

1. de ne les faire voir qu'à la chandelle : « de me contenter de les donner sur scène ».
2. proverbe : allusion au proverbe « Cette femme est belle à la chandelle, mais le jour gâte tout ».
3. théâtre de Bourbon : théâtre que Molière partage avec les Comédiens-Italiens depuis six mois.

4. galerie du Palais : grande galerie du Palais de Justice où l'on trouve des libraires susceptibles d'imprimer une pièce.
5. « Ô temps ! ô mœurs ! » : citation de Cicéron (en latin, « O tempora ! o mores ! », *Catilinaires*, I, 1).
6. neuf : peu expérimenté.
7. mes confrères : ironique ici.

8. Outre : en plus de.
9. libéralité : générosité ; Corneille avait dédié *Horace* à Richelieu et *Cinna* au financier Montoron.
10. épître dédicatoire : lettre imprimée au début d'un livre et adressée à la personne à qui l'auteur dédicace l'ouvrage.
11. docte : savante.

tragédie et la comédie, l'étymologie de toutes deux, leur origine, leur définition, et le reste[1]. J'aurais parlé aussi à mes amis, qui, pour
40 la recommandation de ma pièce, ne m'auraient pas refusé, ou des vers français, ou des vers latins. J'en ai même qui m'auraient loué en grec, et l'on n'ignore pas qu'une louange en grec est d'une merveilleuse efficace[2] à la tête d'un livre. Mais on me met au jour, sans me donner loisir[3] de me reconnaître[4] ; et je ne puis même
45 obtenir la liberté de dire deux mots, pour justifier mes intentions, sur le sujet de cette comédie. J'aurais voulu faire voir qu'elle se tient partout dans les bornes de la satire[5] honnête et permise ; que les plus excellentes choses sont sujettes à être copiées par de mauvais singes, qui méritent d'être bernés[6], que ces vicieuses[7] imita-
50 tions de ce qu'il y a de plus parfait ont été de tout temps la matière de la comédie, et que, par la même raison, les véritables savants, et les vrais braves, ne se sont point encore avisés de s'offenser du Docteur de la comédie et du Capitan[8], non plus que les juges, les princes, et les rois, de voir Trivelin[9], ou quelque autre sur le théâ-
55 tre, faire ridiculement le juge, le prince, ou le roi ; aussi les véritables précieuses auraient tort de se piquer, lorsqu'on joue les ridicules, qui les imitent mal. Mais enfin, comme j'ai dit, on ne me laisse pas le temps de respirer, et Monsieur de Luynes[10] veut m'aller relier de ce pas : à la bonne heure, puisque Dieu l'a voulu.

notes

1. et le reste : Molière critique les prétentions intellectuelles de certaines préfaces.
2. efficace : efficacité.
3. sans me donner loisir : « sans me laisser le temps ».
4. me reconnaître : « me faire publier ».
5. satire : dénonciation par le ridicule.

6. bernés : trompés.
7. vicieuses : fausses, fictives ; Molière rappelle que les personnages de sa pièce ne représentent pas des mondains réels.
8. du Docteur de la comédie et du Capitan : deux personnages de la *commedia dell'arte* ; le Docteur est un savant

prétentieux et le Capitan un soldat fanfaron mais lâche, parodie de l'héroïsme militaire.
9. Trivelin : autre personnage de la *commedia dell'arte* ; Trivelin est un valet rusé.
10. Monsieur de Luynes : libraire qui imprima *Les Précieuses ridicules*.

PERSONNAGES

LA GRANGE ⎱ *amants[1] rebutés[2].*
DU CROISY[3] ⎰

GORGIBUS[4], bon bourgeois.

MAGDELON[5], fille de Gorgibus ⎱ *précieuses ridicules.*
CATHOS[6], nièce de Gorgibus ⎰

MAROTTE[7], servante des précieuses ridicules.

ALMANZOR, laquais[8] des précieuses ridicules.

LE MARQUIS DE MASCARILLE[9], valet de La Grange.

LE VICOMTE DE JODELET[10], valet de Du Croisy.

DEUX PORTEURS de chaise.

VOISINES.

VIOLONS[11].

Les Précieuses ridicules

Scène première   LA GRANGE, DU CROISY

DU CROISY. Seigneur la Grange.

LA GRANGE. Quoi ?

DU CROISY. Regardez-moi un peu sans rire.

LA GRANGE. Eh bien !

5 DU CROISY. Que dites-vous de notre visite ? en êtes-vous fort satisfait ?

LA GRANGE. À votre avis, avons-nous sujet de l'être tous deux ?

DU CROISY. Pas tout à fait, à dire vrai.

LA GRANGE. Pour moi, je vous avoue que j'en suis tout
10 scandalisé. A-t-on jamais vu, dites-moi, deux pecques[1]
provinciales faire plus les renchéries[2] que celles-là, et deux
hommes traités avec plus de mépris que nous ? À peine
ont-elles pu se résoudre à nous faire donner des sièges. Je n'ai
jamais vu tant parler à l'oreille qu'elles ont fait entre elles, tant
15 bâiller, tant se frotter les yeux, et demander tant de fois :

notes

1. *pecques :* sottes, prétentieuses.

2. *renchéries :* méprisantes, dédaigneuses.

« Quelle heure est-il ? » ; ont-elles répondu que[1] oui et non à tout ce que nous avons pu leur dire ? Et ne m'avouerez-vous pas enfin que, quand nous aurions été les dernières personnes du monde, on ne pouvait nous faire pis[2] qu'elles ont fait ?

20 DU CROISY. Il semble que vous prenez la chose fort à cœur.

LA GRANGE. Sans doute je l'y prends, et de telle façon que je veux me venger de cette impertinence[3]. Je connais ce qui nous a fait mépriser. L'air précieux n'a pas seulement infecté Paris, il s'est aussi répandu dans les provinces et nos donzelles[4]
25 ridicules en ont humé[5] leur bonne part. En un mot, c'est un ambigu[6] de précieuse et de coquette que leur personne ; je vois ce qu'il faut être, pour en être bien reçu, et si vous m'en croyez, nous leur jouerons tous deux une pièce, qui leur fera voir leur sottise, et pourra leur apprendre à connaître un peu
30 mieux leur monde.

DU CROISY. Et comment encore ?

LA GRANGE. J'ai un certain valet nommé Mascarille, qui passe au sentiment[7] de beaucoup de gens pour une manière de bel esprit, car il n'y a rien à meilleur marché que le bel esprit
35 maintenant. C'est un extravagant, qui s'est mis dans la tête de vouloir faire l'homme de condition[8]. Il se pique ordinairement[9] de galanterie et de vers[10], et dédaigne[11] les autres valets jusqu'à les appeler brutaux.

DU CROISY. Eh bien, qu'en prétendez-vous faire ?

40 LA GRANGE. Ce que j'en prétends faire ! Il faut... Mais sortons d'ici auparavant.

---

notes

1. **ont-elles répondu que :** ont-elles répondu autre chose que.
2. **pis :** pire.
3. **impertinence :** insolence, attitude inappropriée.
4. **donzelles :** demoiselles ; terme péjoratif venu du théâtre italien.

5. **humé :** respiré.
6. **ambigu :** mélange ; se dit d'un repas froid consistant en différents plats posés sur la table.
7. **au sentiment :** selon l'opinion.
8. **homme de condition :** noble.

9. **ordinairement :** couramment, très fréquemment.
10. **Il se pique [...] de galanterie et de vers :** il se vante de pratiquer la galanterie et d'écrire des vers.
11. **dédaigne :** méprise.

Scène 2   GORGIBUS, DU CROISY, LA GRANGE

GORGIBUS. Eh bien, vous avez vu ma nièce et ma fille : les affaires iront-elles bien ? quel est le résultat de cette visite ?

LA GRANGE. C'est une chose que vous pourrez mieux
45   apprendre d'elles que de nous. Tout ce que nous pouvons vous dire, c'est que nous vous rendons grâce[1] de la faveur que vous nous avez faite, et demeurons vos très humbles serviteurs[2].

GORGIBUS. Ouais, il semble qu'ils sortent mal satisfaits d'ici ;
50   d'où pourrait venir leur mécontentement ? Il faut savoir un peu ce que c'est. Holà !

Scène 3   MAROTTE, GORGIBUS

MAROTTE. Que désirez-vous, Monsieur ?

GORGIBUS. Où sont vos maîtresses ?

MAROTTE. Dans leur cabinet[3].

55   GORGIBUS. Que font-elles ?

MAROTTE. De la pommade pour les lèvres.

GORGIBUS. C'est trop pommadé. Dites-leur qu'elles descendent. Ces pendardes-là avec leur pommade ont, je pense, envie de me ruiner. Je ne vois partout que blancs d'œufs, lait
60   virginal[4], et mille autres brimborions[5] que je ne connais point. Elles ont usé, depuis que nous sommes ici, le lard[6] d'une

---

notes

1. nous vous rendons grâce : « nous vous remercions ».
2. nous [...] demeurons vos très humbles serviteurs : expression de politesse ironique, ici.

3. cabinet : partie privée d'un appartement, petit salon.
4. lait virginal : cosmétique destiné à éclaircir le teint.

5. brimborions : petits objets sans importance.
6. le lard : le lard du cochon était utilisé dans les cosmétiques.

douzaine de cochons, pour le moins ; et quatre valets vivraient tous les jours des pieds de mouton[1] qu'elles emploient.

Scène 4   MAGDELON, CATHOS, GORGIBUS

GORGIBUS. Il est bien nécessaire, vraiment, de faire tant de
65   dépense pour vous graisser le museau. Dites-moi un peu ce que vous avez fait à ces messieurs, que je les vois sortir avec tant de froideur ? Vous avais-je pas commandé de les recevoir comme des personnes que je voulais vous donner pour maris ?

MAGDELON. Et quelle estime, mon père, voulez-vous que nous
70   fassions du procédé irrégulier[2] de ces gens-là ?

CATHOS. Le moyen, mon oncle, qu'une fille un peu raisonnable[3] se pût accommoder de leur personne ?

GORGIBUS. Et qu'y trouvez-vous à redire ?

MAGDELON. La belle galanterie que la leur ! Quoi, débuter
75   d'abord par le mariage ?

GORGIBUS. Et par où veux-tu donc qu'ils débutent : par le concubinage[4] ? N'est-ce pas un procédé dont vous avez sujet de vous louer toutes deux, aussi bien que moi ? Est-il rien de plus obligeant[5] que cela ? Et ce lien sacré où[6] ils aspirent
80   n'est-il pas un témoignage de l'honnêteté de leurs intentions ?

MAGDELON. Ah, mon père, ce que vous dites là est du dernier bourgeois. Cela me fait honte de vous ouïr[7] parler de la sorte, et vous devriez un peu vous faire apprendre le bel air[8] des choses.

notes

1. pieds de mouton : ils sont employés dans les cosmétiques.
2. procédé irrégulier : façon de se comporter non conforme aux règles.

3. raisonnable : ici, jolie.
4. concubinage : fait de vivre ensemble sans être mariés.
5. obligeant : convenable, agréable.

6. où : auquel.
7. ouïr : entendre.
8. le bel air : les belles manières.

85 GORGIBUS. Je n'ai que faire ni d'air, ni de chanson. Je te dis que le mariage est une chose sainte et sacrée, et que c'est faire[1] en honnêtes gens que de débuter par là.

MAGDELON. Mon Dieu, que si tout le monde vous ressemblait, un roman serait bientôt fini : la belle chose que ce serait, si 90 d'abord Cyrus épousait Mandane, et qu'Aronce de plain-pied[2] fût marié à Clélie[3].

GORGIBUS. Que me vient conter celle-ci ?

MAGDELON. Mon père, voilà ma cousine, qui vous dira, aussi bien que moi, que le mariage ne doit jamais arriver qu'après 95 les autres aventures. Il faut qu'un amant[4], pour être agréable, sache débiter les beaux sentiments, pousser[5] le doux, le tendre, et le passionné, et que sa recherche[6] soit dans les formes. Premièrement, il doit voir au temple[7], ou à la promenade, ou dans quelque cérémonie publique la personne dont 100 il devient amoureux ; ou bien être conduit fatalement chez elle, par un parent, ou un ami, et sortir de là tout rêveur et mélancolique. Il cache, un temps, sa passion à l'objet aimé, et cependant[8] lui rend plusieurs visites, où l'on ne manque jamais de mettre sur le tapis[9] une question galante qui exerce 105 les esprits de l'assemblée. Le jour de la déclaration arrive, qui se doit faire ordinairement dans une allée de quelque jardin, tandis que la compagnie s'est un peu éloignée ; et cette déclaration est suivie d'un prompt courroux[10], qui paraît[11] à

---

notes

1. faire : se comporter.
2. de plain-pied : ici, sans péripéties ; « de plain-pied » se dit, au sens propre, d'une maison sans étage.
3. Cyrus, Mandane, Aronce, Clélie : Cyrus et Mandane sont les personnages principaux du roman de Mlle de Scudéry *Le Grand*

Cyrus ; Aronce et Clélie sont les protagonistes de la *Clélie* du même auteur.
4. amant : amoureux, prétendant.
5. pousser : exprimer.
6. recherche : quête amoureuse, parcours en vue d'un mariage.
7. au temple : à l'église ;

le mot *église* ne peut être prononcé sur scène.
8. cependant : pendant ce temps.
9. de mettre sur le tapis : d'aborder, pour un sujet de conversation.
10. prompt courroux : brusque protestation.
11. paraît : se voit.

notre rougeur, et qui pour un temps bannit[1] l'amant de notre
présence. Ensuite il trouve moyen de nous apaiser, de nous
accoutumer insensiblement au discours de sa passion, et de
tirer de nous cet aveu qui fait tant de peine. Après cela
viennent les aventures, les rivaux qui se jettent à la traverse[2]
d'une inclination[3] établie, les persécutions des pères, les jalousies conçues sur de fausses apparences, les plaintes, les déses-
poirs, les enlèvements, et ce qui s'ensuit[4]. Voilà comme les
choses se traitent dans les belles manières, et ce sont des règles
dont en bonne galanterie on ne saurait se dispenser ; mais en
venir de but en blanc[5] à l'union conjugale, ne faire l'amour[6]
qu'en faisant le contrat du mariage, et prendre justement le
roman par la queue ! encore un coup, mon père, il ne se peut
rien de plus marchand que ce procédé, et j'ai mal au cœur de
la seule vision que cela me fait.

GORGIBUS. Quel diable de jargon entends-je ici ? Voici bien du
haut style.

CATHOS. En effet, mon oncle, ma cousine donne dans le vrai de
la chose. Le moyen de bien recevoir des gens qui sont tout à
fait incongrus[7] en galanterie ? Je m'en vais gager[8] qu'ils n'ont
jamais vu la carte de Tendre[9], et que Billets-Doux, Petits-
Soins, Billets-Galants, et Jolis-Vers[10] sont des terres inconnues
pour eux. Ne voyez-vous pas que toute leur personne marque
cela, et qu'ils n'ont point cet air qui donne d'abord bonne
opinion des gens ? Venir en visite amoureuse avec une jambe

110

115

120

125

130

---

notes

1. *bannit :* chasse.
2. *se jettent à la traverse :* viennent s'opposer.
3. *inclination :* amour, penchant.
4. *et ce qui s'ensuit :* le mariage, dernière étape du parcours qui n'intéresse pas Magdelon.

5. *de but en blanc :* sans détour.
6. *ne faire l'amour :* ne tenir des propos amoureux.
7. *incongrus :* ignorants, incompétents.
8. *gager :* parier.
9. *carte de Tendre :* illustration de la première

édition de la *Clélie* de Mlle de Scudéry en 1654 représentant le parcours de l'amant pour conquérir la jeune fille dont il est amoureux.
10. *Billets-Doux [...] Jolis-Vers :* lieux figurant sur la carte de Tendre.

tout unie[1], un chapeau désarmé de plumes, une tête irrégu-
lière en cheveux[2] et un habit qui souffre une indigence[3] de
rubans ! mon Dieu, quels amants sont-ce là ! quelle frugalité
d'ajustement[4], et quelle sécheresse de conversation ! on n'y
dure point[5], on n'y tient pas. J'ai remarqué encore que leurs
rabats[6] ne sont pas de la bonne faiseuse[7], et qu'il s'en faut plus
d'un grand demi-pied que leurs hauts-de-chausses ne soient
assez larges[8].

GORGIBUS. Je pense qu'elles sont folles toutes deux, et je ne puis
rien comprendre à ce baragouin. Cathos et vous, Magdelon...

MAGDELON. Eh de grâce, mon père, défaites-vous de ces noms
étranges, et nous appelez autrement.

GORGIBUS. Comment, ces noms étranges ? Ne sont-ce pas vos
noms de baptême ?

MAGDELON. Mon Dieu, que vous êtes vulgaire ! Pour moi, un
de mes étonnements, c'est que vous ayez pu faire une fille si
spirituelle que moi. A-t-on jamais parlé dans le beau style de
Cathos ni de Magdelon ? et ne m'avouerez-vous pas que ce
serait assez d'un de ces noms pour décrier[9] le plus beau roman
du monde ?

CATHOS. Il est vrai, mon oncle, qu'une oreille un peu délicate
pâtit furieusement à entendre prononcer ces mots-là, et le
nom de Polyxène[10], que ma cousine a choisi, et celui
d'Aminte[11], que je me suis donné, ont une grâce dont il faut
que vous demeuriez d'accord.

notes

1. **jambe tout unie :** sans rubans.
2. **en cheveux :** sans perruque ni chapeau.
3. **indigence :** grande pauvreté.
4. **frugalité d'ajustement :** simplicité d'habillement.
5. **on n'y dure point :** on ne le supporte pas.

6. **rabats :** grands cols de toile.
7. **la bonne faiseuse :** la bonne couturière.
8. **il s'en faut [...] assez larges :** les hauts-de-chausses (pantalons s'arrêtant aux genoux) ne sont pas assez larges d'une quinzaine de centimètres selon la mode.

9. **décrier :** amener à mépriser.
10. **Polyxène :** personnage mythologique (fille du roi troyen Priam).
11. **Aminte :** personnage principal du drame pastoral italien *Aminte* du Tasse (1573).

GORGIBUS. Écoutez, il n'y a qu'un mot qui serve[1] : je n'entends
160   point que vous ayez d'autres noms que ceux qui vous ont été
donnés par vos parrains et marraines ; et pour ces messieurs,
dont il est question, je connais leurs familles et leurs biens, et
je veux résolument que vous vous disposiez à les recevoir
pour maris. Je me lasse de vous avoir sur les bras, et la garde de
165   deux filles est une charge un peu trop pesante pour un
homme de mon âge.

CATHOS. Pour moi, mon oncle, tout ce que je vous puis dire,
c'est que je trouve le mariage une chose tout à fait choquante.
Comment est-ce qu'on peut souffrir la pensée de coucher
170   contre un homme vraiment nu ?

MAGDELON. Souffrez que nous prenions un peu haleine[2] parmi
le beau monde de Paris, où nous ne faisons que d'arriver.
Laissez-nous faire à loisir le tissu de notre roman, et n'en
pressez point tant la conclusion.

175   GORGIBUS. Il n'en faut point douter, elles sont achevées[3].
Encore un coup, je n'entends rien[4] à toutes ces balivernes[5] ; je
veux être maître absolu ; et pour trancher toutes sortes de
discours, ou vous serez mariées toutes deux, avant qu'il soit
peu, ou, ma foi, vous serez religieuses, j'en fais un bon
180   serment.

---

notes

1. il n'y a qu'un mot qui serve : en un mot.
2. nous prenions un peu haleine : « nous respirions », « nous nous reposions ».
3. achevées : complètement folles.
4. je n'entends rien : « je ne comprends rien ».
5. balivernes : sottises.

Au fil du texte

AVEZ-VOUS BIEN LU ?

1. Quels personnages habitent la maison de Gorgibus ? Quels personnages viennent de l'extérieur ?

2. Qui sont Polyxène et Aminte ?

3. Quel est le projet de Gorgibus concernant les deux jeunes filles ?

4. Cathos et Magdelon sont-elles des Parisiennes ? Justifiez votre réponse en citant un passage de la scène 1.

ÉTUDIER L'EXPOSITION* DE L'INTRIGUE

5. Dégagez les trois étapes de la scène 1. Comment s'enchaînent-elles logiquement ?

6. Quelles informations, quant à l'intrigue, la scène 1 délivre-t-elle ?

7. Comment la scène 4 vient-elle compléter ces informations ?

8. Quels conflits prennent naissance dans ces scènes d'exposition ?

* Exposition : premières scènes d'une pièce dans lesquelles sont exposés les éléments nécessaires à la compréhension de l'intrigue.

ÉTUDIER LA PRÉSENTATION DES PERSONNAGES

9. Quels reproches Gorgibus adresse-t-il à sa fille et à sa nièce dans la scène 4 ? Quels aspects de son caractère ces critiques révèlent-elles ?

10. Quelle est l'unique préoccupation de Gorgibus dans la scène 4 ?

11. Quelles réflexions vous inspire le nom de Gorgibus ?

12. En quoi Cathos et Magdelon s'opposent-elles à Gorgibus ?

13. Quelle(s) différence(s) faites-vous entre les deux jeunes filles ?

ÉTUDIER L'EXPOSITION D'UN GENRE : LA COMÉDIE

*Comédie : genre recourant à des personnages types et dont l'intrigue tourne généralement autour de la question d'un mariage contrarié.

*Modalités : types de phrases selon l'intonation (déclarative, interrogative, injonctive, exclamative).

14. En quoi l'intrigue telle qu'elle est annoncée caractérise-t-elle bien la comédie★ ? Appuyez-vous, si nécessaire, sur d'autres pièces de Molière que vous connaissez.

15. Quelles sont les différentes modalités★ présentes dans la scène 1 ? Relevez un exemple à chaque fois. Quel est l'effet produit ?

16. Par quels procédés s'exprime l'indignation de La Grange dans les lignes 9 à 19, pp. 11-12 ? Que ressent le spectateur ?

17. À quels procédés comiques l'auteur a-t-il recours pour divertir le spectateur ? Justifiez et développez votre réponse.

ÉTUDIER L'IMAGE DE LA SOCIÉTÉ

18. Que critique Molière lorsqu'il met en scène Gorgibus ?

19. Dans quelle mesure peut-on dire de Cathos et Magdelon qu'elles affirment leur liberté et leur féminité ?

20. En vous vous référant précisément au texte, montrez que les deux jeunes filles refusent de voir la réalité.

21. Relevez les expressions qui montrent que Gorgibus et les deux jeunes filles ne parviennent pas à se comprendre.

ÉTUDIER LA PARODIE* D'UN DISCOURS PRÉCIEUX (LIGNES 93 À 123)

22. Dégagez le thème et le plan de ce discours.

23. Relevez les différents termes du champ lexical* de l'amour. Pourquoi sont-ils si nombreux et variés, selon vous ?

24. Quel passage, dans le discours de Magdelon, montre que sa vision de l'amour est romanesque ?

25. Quel est le temps dominant dans le discours ? Expliquez son emploi.

26. Relevez les tournures grammaticales ou le lexique à valeur injonctive*. Quel en est l'effet ?

27. Quelle est ici l'intention de Magdelon ? Quelle est celle de Molière ? Aidez-vous de vos réponses aux questions précédentes.

* Parodie : imitation à des fins critiques.

* Champ lexical : ensemble des termes se rapportant à une notion.

* Valeur injonctive : valeur d'ordre.

À VOS PLUMES !

28. Dans la scène 1, La Grange et Du Croisy évoquent la façon dont les deux jeunes filles les ont reçus. En vous appuyant sur les informations données et en tenant compte des caractères de Cathos et Magdelon, écrivez la scène de la rencontre entre les jeunes gens.

Scène 5   CATHOS, MAGDELON

CATHOS. Mon Dieu, ma chère, que ton père a la forme enfoncée dans la matière[1] ! que son intelligence est épaisse, et qu'il fait sombre dans son âme !

MAGDELON. Que veux-tu, ma chère, j'en suis en confusion[2] pour lui. J'ai peine à me persuader que je puisse être véritablement sa fille, et je crois que quelque aventure, un jour, me viendra développer[3] une naissance plus illustre.

CATHOS. Je le croirais bien, oui, il y a toutes les apparences du monde ; et pour moi, quand je me regarde aussi...

Scène 6   MAROTTE, CATHOS, MAGDELON

MAROTTE. Voilà un laquais qui demande si vous êtes au logis, et dit que son maître vous veut venir voir.

MAGDELON. Apprenez, sotte, à vous énoncer moins vulgairement. Dites : « Voilà un nécessaire qui demande si vous êtes en commodité d'être visibles. »

MAROTTE. Dame, je n'entends point le latin, et je n'ai pas appris, comme vous, la filofie[4] dans *Le Grand Cyre*[5].

MAGDELON. L'impertinente ! Le moyen de souffrir cela ! Et qui est-il, le maître de ce laquais ?

MAROTTE. Il me l'a nommé le marquis de Mascarille.

MAGDELON. Ah, ma chère, un marquis ! Oui, allez dire qu'on nous peut voir. C'est sans doute un bel esprit, qui aura ouï[6] parler de nous.

---

notes

1. *la forme enfoncée dans la matière :* manière précieuse de dire que Gorgibus n'a aucune élévation d'esprit.

2. *j'en suis en confusion :* « j'en suis gênée ».
3. *développer :* révéler.
4. *filofie :* philosophie.

5. **Le Grand Cyre :** *Le Grand Cyrus* de Mlle de Scudéry.
6. *ouï :* entendu.

CATHOS. Assurément[1], ma chère.

MAGDELON. Il faut le recevoir dans cette salle basse[2], plutôt
qu'en notre chambre ; ajustons un peu nos cheveux au moins,
et soutenons notre réputation. Vite, venez nous tendre ici
dedans le conseiller des grâces.

MAROTTE. Par ma foi, je ne sais point quelle bête c'est là ; il faut
parler chrétien[3], si vous voulez que je vous entende.

MAGDELON. Apportez-nous le miroir, ignorante que vous êtes.
Et gardez-vous bien d'en salir la glace, par la communication
de votre image.

Scène 7   MASCARILLE, DEUX PORTEURS

MASCARILLE. Holà, porteurs, holà. Là, là, là, là, là, là. Je pense
que ces marauds-là[4] ont dessein[5] de me briser, à force de
heurter contre les murailles et les pavés.

PREMIER PORTEUR. Dame, c'est que la porte est étroite. Vous
avez voulu aussi que nous soyons entrés jusqu'ici[6].

MASCARILLE. Je le crois bien. Voudriez-vous, faquins[7], que
j'exposasse l'embonpoint de mes plumes aux inclémences de
la saison pluvieuse ? et que j'allasse imprimer mes souliers en
boue ? Allez, ôtez votre chaise[8] d'ici.

SECOND PORTEUR. Payez-nous donc, s'il vous plaît, Monsieur.

MASCARILLE. Hem ?

SECOND PORTEUR. Je dis, Monsieur, que vous nous donniez de
l'argent, s'il vous plaît.

notes

1. assurément : certainement.
2. salle basse : salon situé au rez-de-chaussée.
3. parler chrétien : parler comme tout le monde.

4. marauds : terme méprisant employé à l'égard des domestiques.
5. ont dessein : ont l'intention.
6. jusqu'ici : les chaises à porteurs n'entrent pas

habituellement à l'intérieur des maisons.
7. faquins : porteurs, au sens littéral ; c'est également une insulte à l'égard des domestiques.
8. chaise : chaise à porteurs.

MASCARILLE, *lui donnant un soufflet*[1]. Comment, coquin ! demander de l'argent à une personne de ma qualité[2] ?

SECOND PORTEUR. Est-ce ainsi qu'on paie les pauvres gens ? et votre qualité nous donne-t-elle à dîner ?

230 MASCARILLE. Ah ! ah ! ah ! je vous apprendrai à vous connaître[3] ! Ces canailles-là s'osent jouer à moi[4].

PREMIER PORTEUR, *prenant un des bâtons de sa chaise*. Çà, payez-nous vitement[5].

MASCARILLE. Quoi ?

235 PREMIER PORTEUR. Je dis que je veux avoir de l'argent tout à l'heure[6].

MASCARILLE. Il est raisonnable.

PREMIER PORTEUR. Vite donc.

MASCARILLE. Oui-da, tu parles comme il faut, toi ; mais l'autre
240 est un coquin, qui ne sait ce qu'il dit. Tiens, es-tu content ?

PREMIER PORTEUR. Non, je ne suis pas content : vous avez donné un soufflet à mon camarade, et...

MASCARILLE. Doucement, tiens, voilà pour le soufflet. On obtient tout de moi, quand on s'y prend de la bonne façon.
245 Allez, venez me reprendre tantôt[7], pour aller au Louvre[8] au petit coucher[9].

---

notes

1. soufflet : gifle.
2. personne de [...] qualité : personne appartenant à la noblesse.
3. à vous connaître : « à savoir ce que vous valez ».
4. s'osent jouer à moi : « osent s'en prendre à moi ».

5. vitement : vite.
6. tout à l'heure : tout de suite.
7. tantôt : tout à l'heure.
8. Louvre : lieu de résidence du roi ; Louis XIV n'installera définitivement la Cour à Versailles qu'en 1682.

9. petit coucher : cérémonie pour le coucher du roi à laquelle n'étaient admis que quelques courtisans.

Scène 8   MAROTTE, MASCARILLE

MAROTTE. Monsieur, voilà mes maîtresses qui vont venir tout à l'heure.

MASCARILLE. Qu'elles ne se pressent point : je suis ici posté
commodément pour attendre.

250

MAROTTE. Les voici.

Molière dans le rôle de Mascarille, peinture sur marbre.

Au fil du texte

AVEZ-VOUS BIEN LU ?

1. Quelles sont les propositions exactes ?

a) Marotte ne comprend pas le langage précieux de ses maîtresses.

b) Magdelon n'est pas, en réalité, la fille de Gorgibus.

c) Mascarille se fait passer pour un vicomte.

d) Mascarille attache de l'importance à son apparence.

e) Cathos et Magdelon décident de recevoir leur visiteur dans leur chambre pour plus d'intimité.

ÉTUDIER L'ENTRÉE EN SCÈNE D'UN NOUVEAU PERSONNAGE

2. Quel rôle joue la scène 6 ? Quel effet produit-elle sur le spectateur ?

3. En quoi Mascarille étonne-t-il le spectateur lors de son entrée en scène ?

4. Quelle place occupe cette arrivée dans l'intrigue telle qu'elle a été exposée★ ?

ÉTUDIER LE COMIQUE DANS LA SCÈNE 7

5. Commentez les didascalies★ dans la scène 7.

6. Dans quelle mesure peut-on dire que les répliques elles-mêmes donnent des indications concernant la mise en scène ?

7. Sur quels éléments repose le comique de caractère★ dans le passage ?

8. Quels autres procédés comiques★ contribuent à faire rire le spectateur ?

* Exposée : présentée. L'*exposition* constitue la première étape de la pièce au cours de laquelle les informations nécessaires sont données.

*Didascalies : indications destinées à la mise en scène (décor, gestes des personnages...).

*Comique de caractère : comique lié au caractère d'un personnage.

*Procédés comiques : on distingue notamment les comiques de caractère, de situation, de gestes, de mots.

ÉTUDIER LES PRÉCIEUSES

9. Quelle opinion Cathos et Magdelon ont-elles de Gorgibus dans la scène 5 ? Le spectateur la partage-t-il ?

10. Pourquoi, d'après vous, Magdelon imagine-t-elle qu'elle n'est pas la fille de Gorgibus ? Appuyez-vous précisément sur la scène 5.

11. Relevez les expressions précieuses employées par les deux jeunes filles en identifiant le procédé de style employé. Pourquoi, selon vous, parlent-elles ainsi ?

12. Quel intérêt présente la confrontation de Marotte et des précieuses dans la scène 6 ?

13. Quels sont les traits de caractères des précieuses mis en avant dans la scène 6 ?

ÉTUDIER LA REPRÉSENTATION SOCIALE

14. Quelles scènes nous donnent à voir la hiérarchie sociale du XVIIe siècle ?

15. Relevez les verbes à l'impératif dans la scène 6. Que traduisent-ils ?

16. Comment, dans le passage, les maîtres ou maîtresses se comportent-ils avec leurs serviteurs ?

17. Comment les serviteurs réagissent-ils ?

18. En quoi cette représentation de la hiérarchie sociale est-elle faussée par l'intrigue mise en place dans *Les Précieuses ridicules* ? Quelles conclusions le spectateur peut-il en tirer ?

LIRE L'IMAGE : MASCARILLE JOUÉ PAR MOLIÈRE (PAGE 26)

19. En quoi le costume et les accessoires choisis par Molière illustrent-ils la prétendue préciosité de Mascarille ?

20. Commentez l'attitude du comédien.

À VOS PLUMES !

21. Magdelon dit : *« Je crois que quelque aventure, un jour, me viendra développer une naissance plus illustre. »* Imaginez qu'elle poursuive sa réplique en ces termes : « J'ai d'ailleurs l'intention d'écrire un roman qui racontera comment une jeune fille prénommée Polyxène découvre qu'elle est en fait une princesse. L'histoire se déroule dans un château où Polyxène est une simple servante. Laisse-moi te conter les aventures de mon héroïne... » Vous écrirez le récit de Magdelon en l'insérant dans une scène entre les deux précieuses.

Scène 9   Magdelon, Cathos, Mascarille, Almanzor

Mascarille, *après avoir salué.* Mesdames[1], vous serez surprises, sans doute, de l'audace de ma visite ; mais votre réputation vous attire cette méchante affaire, et le mérite a pour moi des charmes[2] si puissants que je cours, partout, après lui.

Magdelon. Si vous poursuivez le mérite, ce n'est pas sur nos terres que vous devez chasser.

Cathos. Pour voir chez nous le mérite, il a fallu que vous l'y ayez amené.

Mascarille. Ah, je m'inscris en faux[3] contre vos paroles. La renommée accuse juste, en contant ce que vous valez, et vous allez faire pic, repic et capot[4] tout ce qu'il y a de galant dans Paris.

Magdelon. Votre complaisance pousse, un peu trop avant, la libéralité de ses louanges, et nous n'avons garde, ma cousine et moi, de donner de notre sérieux[5], dans le doux de votre flatterie.

Cathos. Ma chère, il faudrait faire donner des sièges.

Magdelon. Holà, Almanzor.

Almanzor. Madame.

Magdelon. Vite, voiturez-nous ici les commodités de la conversation[6].

Mascarille. Mais, au moins, y a-t-il sûreté ici pour moi[7] ?

Cathos. Que craignez-vous ?

---

notes

1. Mesdames : titre réservé aux femmes nobles.
2. charmes : pouvoirs magiques.
3. je m'inscris en faux : « je proteste ».
4. faire pic, repic et capot : gagner la partie sans laisser l'adversaire marquer un seul point ; terme du jeu de piquet.
5. donner de notre sérieux : prendre au sérieux.
6. les commodités de la conversation : les sièges, expression inventée par Molière pour caricaturer le langage précieux.
7. y a-t-il sûreté ici pour moi : « suis-je en sécurité ici ».

275 MASCARILLE. Quelque vol de mon cœur, quelque assassinat de ma franchise[1]. Je vois ici des yeux qui ont la mine d'être de fort mauvais garçons, de faire insulte aux libertés, et de traiter une âme de Turc à More[2]. Comment diable ! d'abord qu'[3]on les approche, ils se mettent sur leur garde meurtrière ? Ah ! par

280 ma foi, je m'en défie, et je m'en vais gagner au pied[4], ou je veux caution bourgeoise[5] qu'ils ne me feront point de mal.

MAGDELON. Ma chère, c'est le caractère enjoué.

CATHOS. Je vois bien que c'est un Amilcar[6].

MAGDELON. Ne craignez rien : nos yeux n'ont point de mauvais
285 desseins, et votre cœur peut dormir en assurance[7] sur leur prud'homie[8].

CATHOS. Mais de grâce, Monsieur, ne soyez pas inexorable à[9] ce fauteuil qui vous tend les bras il y a[10] un quart d'heure : contentez un peu l'envie qu'il a de vous embrasser.

290 MASCARILLE, *après s'être peigné et avoir ajusté ses canons*[11]. Eh bien, Mesdames, que dites-vous de Paris ?

MAGDELON. Hélas ! qu'en pourrions-nous dire ? Il faudrait être l'antipode de la raison pour ne pas confesser que Paris est le grand bureau des merveilles, le centre du bon goût, du bel
295 esprit et de la galanterie.

MASCARILLE. Pour moi, je tiens que hors de Paris il n'y a point de salut pour les honnêtes gens.

CATHOS. C'est une vérité incontestable.

---

notes

1. *franchise :* liberté.
2. *de Turc à More :* durement ; les Ottomans traitaient avec une grande rigueur les Maures, c'est-à-dire les habitants du Nord de l'Afrique.
3. *d'abord que :* aussitôt que.

4. *gagner au pied :* s'enfuir (expression familière).
5. *caution bourgeoise :* garantie payée par un bourgeois fortuné.
6. *Amilcar :* amoureux galant dans le roman *Clélie* de Mlle de Scudéry.
7. *assurance :* sécurité.

8. *prud'homie :* sagesse.
9. *inexorable à :* sans pitié envers.
10. *il y a :* depuis.
11. *canons :* pièces vestimentaires décoratives qui se portaient attachées au-dessus du genou.

MASCARILLE. Il y fait un peu crotté[1], mais nous avons la chaise.

300 MAGDELON. Il est vrai que la chaise est un retranchement merveilleux contre les insultes de la boue et du mauvais temps.

MASCARILLE. Vous recevez beaucoup de visites ? Quel bel esprit est des vôtres ?

305 MAGDELON. Hélas ! nous ne sommes pas encore connues ; mais nous sommes en passe de l'être, et nous avons une amie particulière, qui nous a promis d'amener ici tous ces Messieurs du *Recueil des pièces choisies*[2].

CATHOS. Et certains autres, qu'on nous a nommés aussi pour 310 être les arbitres souverains des belles choses[3].

MASCARILLE. C'est moi qui ferai votre affaire mieux que personne ; ils me rendent tous visite, et je puis dire que je ne me lève jamais[4] sans une demi-douzaine de beaux esprits.

MAGDELON. Eh ! mon Dieu, nous vous serons obligées[5] de la 315 dernière obligation, si vous nous faites cette amitié : car enfin il faut avoir la connaissance de tous ces messieurs-là, si l'on veut être du beau monde. Ce sont ceux qui donnent le branle[6] à la réputation dans Paris ; et vous savez qu'il y en a tel dont il ne faut que la seule fréquentation pour vous donner bruit[7] de 320 connaisseuse, quand il n'y aurait rien autre chose que cela. Mais, pour moi, ce que je considère[8] particulièrement, c'est que, par le moyen de ces visites spirituelles, on est instruite de cent choses, qu'il faut savoir de nécessité[9], et qui sont de l'essence d'un bel esprit. On apprend par là, chaque jour, les

325 petites nouvelles galantes, les jolis commerces[1] de prose, et de vers. On sait à point nommé : « Un tel a composé la plus jolie pièce du monde sur un tel sujet ; une telle a fait des paroles sur un tel air ; celui-ci a fait un madrigal[2] sur une jouissance[3] ; celui-là a composé des stances[4] sur une infidélité ; Monsieur
330 Untel écrivit hier au soir un sizain[5] à Mademoiselle Unetelle, dont elle lui a envoyé la réponse ce matin sur les huit heures ; un tel auteur a fait un tel dessein[6] ; celui-là en est à la troisième partie de son roman ; cet autre met ses ouvrages sous la presse[7]. » C'est là ce qui vous fait valoir dans les compagnies[8] ;
335 et si l'on ignore ces choses, je ne donnerais pas un clou de tout l'esprit qu'on peut avoir.

CATHOS. En effet, je trouve que c'est renchérir sur le ridicule qu'une personne se pique d'esprit et ne sache pas jusqu'au moindre petit quatrain[9] qui se fait chaque jour ; et pour moi,
340 j'aurais toutes les hontes du monde, s'il fallait qu'on vînt à me demander si j'aurais vu quelque chose de nouveau que je n'aurais pas vu.

MASCARILLE. Il est vrai qu'il est honteux de n'avoir pas des premiers[10] tout ce qui se fait ; mais ne vous mettez pas en
345 peine : je veux établir chez vous une académie de beaux esprits, et je vous promets qu'il ne se fera pas un bout de vers dans Paris, que vous ne sachiez par cœur avant tous les autres. Pour moi, tel que vous me voyez, je m'en escrime un peu quand je veux, et vous verrez courir de ma façon, dans les
350 belles ruelles[11] de Paris, deux cents chansons, autant de

notes

1. commerces : échanges.
2. madrigal : court poème galant.
3. jouissance : réjouissance, événement heureux.
4. stances : strophes traitant d'un sujet sérieux.
5. sizain : strophe de six vers.

6. dessein : ici, projet d'un ouvrage.
7. presse : presse de l'imprimeur.
8. compagnies : réunions mondaines.
9. quatrain : strophe de quatre vers.

10. des premiers : en premier.
11. dans les belles ruelles : dans les beaux salons ; la ruelle est l'espace entre le lit et le mur où se tiennent les amis intimes que la dame reçoit dans sa chambre.

sonnets, quatre cents épigrammes[1], et plus de mille madrigaux, sans compter les énigmes[2] et les portraits[3].

MAGDELON. Je vous avoue que je suis furieusement pour les portraits ; je ne vois rien de si galant que cela.

355 MASCARILLE. Les portraits sont difficiles, et demandent un esprit profond. Vous en verrez de ma manière, qui ne vous déplairont pas.

CATHOS. Pour moi, j'aime terriblement les énigmes.

MASCARILLE. Cela exerce l'esprit, et j'en ai fait quatre encore ce
360 matin, que je vous donnerai à deviner.

MAGDELON. Les madrigaux sont agréables, quand ils sont bien tournés.

MASCARILLE. C'est mon talent particulier, et je travaille à mettre en madrigaux toute l'histoire romaine[4].

365 MAGDELON. Ah ! certes, cela sera du dernier beau[5] ; j'en retiens un exemplaire au moins, si vous le faites imprimer.

MASCARILLE. Je vous en promets à chacune un, et des mieux reliés[6]. Cela est au-dessous de ma condition[7] ; mais je le fais
370 seulement pour donner à gagner aux libraires, qui me persécutent.

MAGDELON. Je m'imagine que le plaisir est grand de se voir imprimé.

MASCARILLE. Sans doute ; mais à propos, il faut que je vous die[8] un impromptu[9] que je fis hier chez une duchesse de mes

---

notes

1. épigrammes : très courts poèmes satiriques en vers se terminant par un trait d'esprit appelé « pointe ».
2. énigmes : brefs poèmes mondains consistant en une devinette.
3. portraits : petits textes mondains dont la clé est un personnage connu de tous.

4. histoire romaine : histoire particulièrement longue et complexe, bien éloignée de la brièveté et de la légèreté des madrigaux.
5. du dernier beau : particulièrement beau.
6. reliés : on ne relie à l'époque que les livres de grande valeur, les autres sont seulement brochés.

7. au-dessous de ma condition : étant noble, le marquis ne doit pas gagner d'argent de la sorte.
8. die : dise (présent du subjonctif).
9. impromptu : tout poème mondain composé spontanément, sans réflexion préalable.

375 amies, que je fus visiter ; car je suis diablement fort sur les impromptus.

CATHOS. L'impromptu est justement la pierre de touche[1] de l'esprit.

MASCARILLE. Écoutez donc.

380 MAGDELON. Nous y sommes de toutes nos oreilles.

MASCARILLE.

Oh, oh, je n'y prenais pas garde :
Tandis que, sans songer à mal, je vous regarde,
Votre œil en tapinois[2] me dérobe mon cœur.

385 *Au voleur, au voleur, au voleur, au voleur !*

CATHOS. Ah mon Dieu ! voilà qui est poussé dans le dernier galant.

MASCARILLE. Tout ce que je fais a l'air cavalier[3], cela ne sent point le pédant[4].

390 MAGDELON. Il en est éloigné de plus de deux mille lieues.

MASCARILLE. Avez-vous remarqué ce commencement : *Oh, oh* ? Voilà qui est extraordinaire : *Oh, oh*. Comme un homme qui s'avise[5] tout d'un coup : *Oh, oh*. La surprise : *Oh, oh*.

MAGDELON. Oui, je trouve ce *Oh, oh* admirable.

395 MASCARILLE. Il semble que cela ne soit rien.

CATHOS. Ah, mon Dieu, que dites-vous ! ce sont là de ces sortes de choses qui ne se peuvent payer.

MAGDELON. Sans doute, et j'aimerais mieux avoir fait ce *Oh, oh*, qu'un poème épique[6].

400 MASCARILLE. Tudieu ! vous avez le goût bon.

---

notes

1. pierre de touche : preuve ; au sens propre, c'est une pierre utilisée pour tester l'authenticité de l'or ou de l'argent.

2. en tapinois : caché.
3. cavalier : précipité, abrupt.
4. pédant : prétentieux.

5. s'avise : découvre.
6. poème épique : long poème à la gloire d'un héros, épopée.

MAGDELON. Eh, je ne l'ai pas tout à fait mauvais.

MASCARILLE. Mais n'admirez-vous pas aussi *je n'y prenais pas garde* ? *Je n'y prenais pas garde*, je ne m'apercevais pas de cela, façon de parler naturelle, *je n'y prenais pas garde. Tandis que,*
405 *sans songer à mal*, tandis qu'innocemment, sans malice, comme un pauvre mouton, *je vous regarde* ; c'est-à-dire : je m'amuse à vous considérer, je vous observe, je vous contemple. *Votre œil en tapinois...* Que vous semble de ce mot, *tapinois* ? n'est-il pas bien choisi ?

410 CATHOS. Tout à fait bien.

MASCARILLE. *Tapinois* : en cachette : il semble que ce soit un chat qui vienne de prendre une souris. *Tapinois.*

MAGDELON. Il ne se peut rien de mieux.

MASCARILLE. *Me dérobe mon cœur*, me l'emporte, me le ravit. *Au*
415 *voleur, au voleur, au voleur, au voleur* ! Ne diriez-vous pas que c'est un homme qui crie et court après un voleur pour le faire arrêter ? *Au voleur, au voleur, au voleur, au voleur* !

MAGDELON. Il faut avouer que cela a un tour spirituel, et galant.

MASCARILLE. Je veux vous dire l'air que j'ai fait dessus.

420 CATHOS. Vous avez appris la musique ?

MASCARILLE. Moi ? point du tout.

CATHOS. Et comment donc cela se peut-il ?

MASCARILLE. Les gens de qualité savent tout, sans avoir jamais rien appris.

425 MAGDELON. Assurément, ma chère.

MASCARILLE. Écoutez si vous trouverez l'air à votre goût : *hem, hem, la, la, la, la, la.* La brutalité de la saison a furieusement outragé[1] la délicatesse de ma voix ; mais il n'importe, c'est à la cavalière[2].

notes

1. *outragé* : blessé. | 2. *à la cavalière* : sans accompagnement.

430 *Il chante :*

« *Oh, oh, je n'y prenais pas… »*

CATHOS. Ah, que voilà un air qui est passionné ! Est-ce qu'on n'en meurt point ?

MAGDELON. Il y a de la chromatique[1] là-dedans.

435 MASCARILLE. Ne trouvez-vous pas la pensée bien exprimée dans le chant ? *Au voleur…* Et puis comme si l'on criait bien fort : *au, au, au, au, au, au voleur* ; et tout d'un coup comme une personne essoufflée : *au voleur.*

MAGDELON. C'est là savoir le fin des choses, le grand fin, le fin
440 du fin. Tout est merveilleux, je vous assure ; je suis enthousiasmée de l'air, et des paroles.

CATHOS. Je n'ai encore rien vu de cette force-là.

MASCARILLE. Tout ce que je fais me vient naturellement, c'est sans étude.

445 MAGDELON. La nature vous a traité en vraie mère passionnée, et vous en êtes l'enfant gâté.

MASCARILLE. À quoi donc passez-vous le temps ?

CATHOS. À rien du tout.

MAGDELON. Nous avons été, jusqu'ici, dans un jeûne[2]
450 effroyable de divertissements.

MASCARILLE. Je m'offre à vous mener l'un de ces jours à la comédie, si vous voulez ; aussi bien on en doit jouer une nouvelle, que je serai bien aise que nous voyions ensemble.

MAGDELON. Cela n'est pas de refus.

455 MASCARILLE. Mais je vous demande d'applaudir, comme il faut, quand nous serons là. Car je me suis engagé de faire valoir la pièce, et l'auteur m'en est venu prier encore ce matin. C'est la coutume ici, qu'à nous autres gens de condition, les auteurs

notes

1. *chromatique :* musique jouant sur les demi-tons.

2. *jeûne :* privation ; ce terme est employé

habituellement pour une privation de nourriture.

460 viennent lire leurs pièces nouvelles, pour nous engager à les trouver belles, et leur donner de la réputation ; et je vous laisse à penser si, quand nous disons quelque chose, le parterre[1] ose nous contredire. Pour moi, j'y suis fort exact ; et quand j'ai promis à quelque poète, je crie toujours : « Voilà qui est beau », devant que[2] les chandelles soient allumées.

465 MAGDELON. Ne m'en parlez point, c'est un admirable lieu que Paris ; il s'y passe cent choses tous les jours, qu'on ignore dans les provinces, quelque spirituelle qu'on puisse être.

CATHOS. C'est assez : puisque nous sommes instruites, nous ferons notre devoir de nous écrier comme il faut sur tout ce
470 qu'on dira.

MASCARILLE. Je ne sais si je me trompe, mais vous avez toute la mine d'avoir fait quelque comédie.

MAGDELON. Eh, il pourrait être quelque chose de ce que vous dites.

475 MASCARILLE. Ah, ma foi, il faudra que nous la voyions. Entre nous, j'en ai composé une que je veux faire représenter.

CATHOS. Hé, à quels comédiens la donnerez-vous ?

MASCARILLE. Belle demande ! aux Grands Comédiens[3] ; il n'y a qu'eux qui soient capables de faire valoir les choses ; les autres
480 sont des ignorants, qui récitent comme l'on parle, ils ne savent pas faire ronfler les vers et s'arrêter au bel endroit ; et le moyen de connaître où est le beau vers, si le comédien ne s'y arrête et ne vous avertit par là qu'il faut faire le brouhaha[4] ?

notes

1. parterre : public installé debout dans la salle, différent des spectateurs nobles occupant les loges, voire la scène elle-même.
2. devant que : avant que.

3. Grands Comédiens : comédiens de l'Hôtel de Bourgogne, protégés par le roi. Cette troupe, présente dans la salle lors de la première représentation,

avait auparavant critiqué la façon de jouer de la troupe de Molière.
4. faire le brouhaha : applaudir.

CATHOS. En effet, il y a manière de faire sentir aux auditeurs les
485 beautés d'un ouvrage, et les choses ne valent que ce qu'on les
fait valoir.

MASCARILLE. Que vous semble de ma petite-oie[1] ? la trouvez-
vous congruante à[2] l'habit ?

CATHOS. Tout à fait.

490 MASCARILLE. Le ruban est bien choisi.

MAGDELON. Furieusement bien. C'est Perdrigeon[3] tout pur.

MASCARILLE. Que dites-vous de mes canons ?

MAGDELON. Ils ont tout à fait bon air.

MASCARILLE. Je puis me vanter au moins qu'ils ont un grand
495 quartier[4] plus que tous ceux qu'on fait.

MAGDELON. Il faut avouer que je n'ai jamais vu porter si haut
l'élégance de l'ajustement.

MASCARILLE. Attachez un peu sur ces gants la réflexion de votre
odorat.

500 MAGDELON. Ils sentent terriblement bon.

CATHOS. Je n'ai jamais respiré une odeur mieux conditionnée.

MASCARILLE. Et celle-là ?

MAGDELON. Elle est tout à fait de qualité[5] ; le sublime[6] en est
touché délicieusement.

505 MASCARILLE. Vous ne me dites rien de mes plumes : comment
les trouvez-vous ?

CATHOS. Effroyablement belles.

MASCARILLE. Savez-vous que le brin me coûte un louis d'or ?
Pour moi, j'ai cette manie de vouloir donner généralement
510 sur tout ce qu'il y a de plus beau.

---

notes

1. *petite-oie :* nœud de
ruban qui orne l'habit.
2. *congruante à :* en
harmonie avec.

3. *Perdrigeon :* célèbre
mercier parisien.
4. *quartier :* 30 cm environ.
5. *de qualité :* noble.

6. *le sublime :* le cerveau
(terme précieux inventé par
Molière).

MAGDELON. Je vous assure que nous sympathisons vous et moi ; j'ai une délicatesse furieuse pour tout ce que je porte ; et jusqu'à mes chaussettes, je ne puis rien souffrir qui ne soit de la bonne ouvrière.

515 MASCARILLE, *s'écriant brusquement.* Ahi, ahi, ahi, doucement ; Dieu me damne[1], Mesdames ! c'est fort mal en user : j'ai à me plaindre de votre procédé ; cela n'est pas honnête.

CATHOS. Qu'est-ce donc ? qu'avez-vous ?

MASCARILLE. Quoi ! toutes deux contre mon cœur, en même
520 temps ? m'attaquer à droit[2] et à gauche ? Ah, c'est contre le droit des gens : la partie n'est pas égale, et je m'en vais crier au meurtre.

CATHOS. Il faut avouer qu'il dit les choses d'une manière particulière.

525 MAGDELON. Il a un tour admirable dans l'esprit.

CATHOS. Vous avez plus de peur que de mal, et votre cœur crie avant qu'on l'écorche.

MASCARILLE. Comment diable ! il est écorché depuis la tête jusqu'aux pieds.

notes

1. me damne : « m'envoie en enfer ». *2. droit :* droite.

Scène 9, dessin de Jean-Michel Moreau.

Scène 9. Mascarille (André Brunot), Magdelon (Lise Delamare) et Cathos (Béatrice Bretty) dans le film *Les Précieuses ridicules* de Léonce Perret (1934).

Au fil du texte

AVEZ-VOUS BIEN LU ?

1. De quelle ville les précieux font-ils l'éloge ?

2. À quels divertissements littéraires Mascarille affirme-t-il se livrer ?

3. À quel genre appartient le petit texte dont Mascarille donne lecture ?

4. À quel genre appartient l'œuvre que Magdelon, selon Mascarille, a composée ?

5. De quels comédiens Mascarille fait-il l'éloge ?

ÉTUDIER LA PROGRESSION DU DIALOGUE

6. Quelles sont les différentes étapes de la scène ? Appuyez-vous sur les sujets de conversation successifs.

7. Quel thème occupe la place la plus grande dans la conversation ? Pourquoi, selon vous ?

8. Qui mène le dialogue ? Justifiez votre réponse.

9. En donnant quelques exemples précis, montrez que les répliques des deux jeunes filles se font écho. Quel est l'effet produit ?

ÉTUDIER LE COMIQUE

10. Comment les intonations de voix de Mascarille – rôle tenu par Molière – contribuent-elles au comique de la scène ?

11. Relevez les didascalies★ indiquant un jeu de scène★. Dans quelle mesure le texte même des répliques appelle-t-il aussi des jeux de scène ?

12. Sur quels éléments repose le comique de situation★ ?

13. Quels procédés comiques font rire le spectateur dans le passage de l'impromptu ?

ÉTUDIER LA SATIRE★

14. Comment Molière, rendant ridicules les quatre vers de l'impromptu de Mascarille, critique-t-il les poètes prétentieux et sans talent ?

15. Quelle image du théâtre Mascarille (lignes 451 à 486) nous donne-t-il ?

16. Relevez et commentez une réplique qui critique explicitement les « *gens de qualité* ».

17. Dans le passage des lignes 487 à 514, relevez d'une part les superlatifs et comparatifs, d'autre part les adverbes. Que peut-on en déduire quant au langage des précieux vu par Molière ?

18. Que reproche Molière aux précieux ?

ÉTUDIER LA CONNIVENCE AVEC LE PUBLIC

19. En quoi le début de la scène concernant Paris constitue-t-il une allusion à la vie de Molière ? En quoi ce premier sujet de conversation peut-il séduire le public de l'époque ?

★ Didascalies : indications précisant la mise en scène (décor, gestes, intonations...).

★ Jeu de scène : gestes ou déplacements de personnages.

★ Comique de situation : comique lié au contexte de l'intrigue.

★ Satire : passage comique à visée critique.

20. Quelles autres allusions personnelles voyez-vous dans cette scène ? Quel est leur effet sur les spectateurs ?

21. Comment les spectateurs voient-ils que Mascarille n'est qu'un valet déguisé en marquis ? En quoi cela satisfait-il le public mondain que Molière veut séduire ?

LIRE LES IMAGES (PAGES 41 ET 42)

22. Quels points communs voyez-vous entre les deux mises en scène ? En quoi sont-elles fidèles au texte de Molière ?

À VOS PLUMES !

23. En vous inspirant du personnage de Mascarille, imaginez une scène au cours de laquelle un personnage de votre choix se vante pour éblouir ses amis. Vous ferez, au passé, le récit de cette scène en accordant une place importante au dialogue.

Scène 10   MAROTTE, MASCARILLE, CATHOS, MAGDELON

530 MAROTTE. Madame, on demande à vous voir.

MAGDELON. Qui ?

MAROTTE. Le vicomte de Jodelet.

MASCARILLE. Le vicomte de Jodelet ?

MAROTTE. Oui, Monsieur.

535 CATHOS. Le connaissez-vous ?

MASCARILLE. C'est mon meilleur ami.

MAGDELON. Faites entrer vitement.

MASCARILLE. Il y a quelque temps que nous ne nous sommes vus, et je suis ravi de cette aventure.

540 CATHOS. Le voici.

Scène 11   JODELET, MASCARILLE, CATHOS, MAGDELON, MAROTTE

MASCARILLE. Ah, vicomte !

JODELET, *s'embrassant l'un l'autre*. Ah, marquis !

MASCARILLE. Que je suis aise de te rencontrer !

JODELET. Que j'ai de joie de te voir ici !

545 MASCARILLE. Baise-moi donc encore un peu, je te prie.

MAGDELON. Ma toute bonne, nous commençons d'être connues : voilà le beau monde qui prend le chemin de nous venir voir.

MASCARILLE. Mesdames, agréez que je vous présente ce gen-
550 tilhomme-ci. Sur ma parole, il est digne d'être connu de vous.

JODELET. Il est juste de venir vous rendre ce qu'on vous doit, et vos attraits exigent leurs droits seigneuriaux[1] sur toutes sortes de personnes.

note

1. droits seigneuriaux : dans la féodalité, droits du seigneur sur ses vassaux.

555 MAGDELON. C'est pousser vos civilités[1] jusqu'aux derniers confins de la flatterie.

CATHOS. Cette journée doit être marquée dans notre almanach[2] comme une journée bienheureuse.

MAGDELON. Allons, petit garçon, faut-il toujours vous répéter
560 les choses ? Voyez-vous pas qu'il faut le surcroît d'un fauteuil ?

MASCARILLE. Ne vous étonnez pas de voir le vicomte de la sorte : il ne fait que sortir d'une maladie qui lui a rendu le visage pâle[3], comme vous le voyez.

JODELET. Ce sont fruits des veilles de la Cour, et des fatigues de
565 la guerre.

MASCARILLE. Savez-vous, Mesdames, que vous voyez dans le vicomte un des vaillants hommes du siècle ? C'est un brave à trois poils[4].

JODELET. Vous ne m'en devez rien, Marquis, et nous savons ce
570 que vous savez faire aussi.

MASCARILLE. Il est vrai que nous nous sommes vus tous deux dans l'occasion[5].

JODELET. Et dans des lieux où il faisait fort chaud.

MASCARILLE, *les regardant toutes deux.* Oui, mais non pas si chaud
575 qu'ici. Haï, haï, haï.

JODELET. Notre connaissance s'est faite à l'armée ; et la première fois que nous nous vîmes, il commandait un régiment de cavalerie sur les galères de Malte.

MASCARILLE. Il est vrai ; mais vous étiez pourtant dans l'emploi
580 avant que j'y fusse, et je me souviens que je n'étais que petit officier encore, que vous commandiez deux mille chevaux.

notes

1. *civilités* : amabilités.
2. *almanach* : sorte de calendrier à la mode chez les précieux.

3. Jodelet joue habituellement avec le visage enfariné.
4. *un brave à trois poils :* les

velours à trois poils (trois fils de trame) étaient de grande qualité, donc d'élégance.
5. *occasion :* bataille.

JODELET. La guerre est une belle chose ; mais, ma foi, la Cour récompense bien mal aujourd'hui les gens de service[1] comme nous.

585   MASCARILLE. C'est ce qui fait que je veux pendre l'épée au croc[2].

CATHOS. Pour moi, j'ai un furieux tendre pour les hommes d'épée.

MAGDELON. Je les aime aussi ; mais je veux que l'esprit assai-
590   sonne la bravoure.

MASCARILLE. Te souvient-il, vicomte, de cette demi-lune[3], que nous emportâmes sur les ennemis au siège d'Arras[4] ?

JODELET. Que veux-tu dire avec ta demi-lune ? C'était bien une lune tout entière.

595   MASCARILLE. Je pense que tu as raison.

JODELET. Il m'en doit bien souvenir, ma foi : j'y fus blessé à la jambe d'un coup de grenade, dont je porte encore les marques. Tâtez un peu, de grâce, vous sentirez quelque coup : c'était là.

600   CATHOS. Il est vrai que la cicatrice est grande.

MASCARILLE. Donnez-moi un peu votre main, et tâtez celui-ci : là, justement au derrière de la tête. Y êtes-vous ?

MAGDELON. Oui, je sens quelque chose.

MASCARILLE. C'est un coup de mousquet[5] que je reçus la
605   dernière campagne[6] que j'ai faite.

---

notes

1. gens de service : jeu de mots désignant à la fois les nobles ayant rendu service et les domestiques.
2. pendre l'épée au croc : se retirer de l'armée.

3. demi-lune : ouvrage de fortification ; la « lune entière » n'existe pas.
4. Arras : ville du Nord, dans la zone-frontière avec les Pays-Bas espagnols - enjeu militaire important au XVIIe siècle.

5. mousquet : arme à feu, ancêtre du fusil.
6. la dernière campagne : durant la dernière campagne.

JODELET. Voici un autre coup qui me perça de part en part à l'attaque de Gravelines[1].

MASCARILLE, *mettant la main sur le bouton de son haut-de-chausses.* Je vais vous montrer une furieuse plaie.

610 MAGDELON. Il n'est pas nécessaire : nous le croyons, sans y regarder.

MASCARILLE. Ce sont des marques honorables, qui font voir ce qu'on est.

CATHOS. Nous ne doutons point de ce que vous êtes.

615 MASCARILLE. Vicomte, as-tu là ton carrosse ?

JODELET. Pourquoi ?

MASCARILLE. Nous mènerions promener ces dames hors des portes[2], et leur donnerions un cadeau.

MAGDELON. Nous ne saurions sortir aujourd'hui.

620 MASCARILLE. Ayons donc les violons pour danser.

JODELET. Ma foi, c'est bien avisé.

MAGDELON. Pour cela, nous y consentons ; mais il faut donc quelque surcroît de compagnie.

MASCARILLE. Holà, Champagne, Picard, Bourguignon,
625 Casquaret, Basque, la Verdure, Lorrain, Provençal[3], la Violette ! Au diable soient tous les laquais ! Je ne pense pas qu'il y ait gentilhomme en France plus mal servi que moi. Ces canailles me laissent toujours seul.

MAGDELON. Almanzor, dites aux gens de Monsieur qu'ils
630 aillent quérir des violons, et nous faites venir ces messieurs, et ces dames d'ici près[4], pour peupler la solitude de notre bal.

MASCARILLE. Vicomte, que dis-tu de ces yeux ?

---

notes

1. Gravelines : ville du Nord - autre enjeu militaire important (1644 et 1658).
2. hors des portes : hors de Paris, dans les lieux de promenade à la mode.

3. Champagne [...]
Provençal : on donne souvent aux valets le nom de leur région d'origine.
4. d'ici près : du voisinage.

JODELET. Mais toi-même, Marquis, que t'en semble ?

MASCARILLE. Moi, je dis que nos libertés auront peine à sortir
635   d'ici les braies nettes[1]. Au moins, pour moi, je reçois
d'étranges secousses, et mon cœur ne tient plus qu'à un filet.

MAGDELON. Que tout ce qu'il dit est naturel ! Il tourne les
choses le plus agréablement du monde.

CATHOS. Il est vrai qu'il fait une furieuse dépense en esprit.

640 MASCARILLE. Pour vous montrer que je suis véritable[2], je veux
faire un impromptu là-dessus.

CATHOS. Eh, je vous en conjure de toute la dévotion de mon
cœur. Que nous ayons[3] quelque chose qu'on ait fait pour nous.

JODELET. J'aurais envie d'en faire autant ; mais je me trouve un
645   peu incommodé[4] de la veine poétique, pour[5] la quantité des
saignées que j'y ai faites ces jours passés.

MASCARILLE. Que diable est cela ? Je fais toujours bien le
premier vers ; mais j'ai peine à faire les autres. Ma foi, ceci est
un peu trop pressé, je vous ferai un impromptu à loisir[6], que
650   vous trouverez le plus beau du monde.

JODELET. Il a de l'esprit comme un démon.

MAGDELON. Et du galant, et du bien tourné.

MASCARILLE. Vicomte, dis-moi un peu : y a-t-il longtemps que
tu n'as vu la Comtesse ?

655 JODELET. Il y a plus de trois semaines que je ne lui ai rendu visite.

MASCARILLE. Sais-tu bien que le Duc m'est venu voir ce matin,
et m'a voulu mener à la campagne, courir[7] un cerf, avec lui ?

MAGDELON. Voici nos amies qui viennent.

---

notes

1. à sortir d'ici les braies nettes : à bien se sortir d'une mauvaise situation ; les braies étaient les culottes que portaient les Gaulois.
2. véritable : sincère.

3. ayons : dans les éditions suivantes, on trouve *oyons* (« entendons ») à la place de *ayons*.
4. incommodé : sans inspiration ou impuissant sexuellement.

5. pour : en raison de.
6. à loisir : en prenant le temps nécessaire - ce qui entre en contradiction avec l'idée d'« impromptu ».
7. courir : chasser (chasse à courre).

Scène 12   JODELET, MASCARILLE, CATHOS, MAGDELON,
ALMANZOR, MAROTTE, LUCILE

MAGDELON. Mon Dieu, mes chères, nous vous demandons
660 pardon. Ces Messieurs ont eu fantaisie de nous donner les
âmes des pieds[1], et nous vous avons envoyé quérir[2] pour
remplir les vides de notre assemblée.

LUCILE. Vous nous avez obligées sans doute.

MASCARILLE. Ce n'est ici qu'un bal à la hâte ; mais l'un de ces
665 jours nous vous en donnerons un dans les formes. Les violons
sont-ils venus ?

ALMANZOR. Oui, Monsieur, ils sont ici.

CATHOS. Allons donc, mes chères, prenez place.

MASCARILLE, *dansant lui seul comme par prélude*[3]. La, la, la, la, la,
670 la, la, la.

MAGDELON. Il a tout à fait la taille élégante.

CATHOS. Et a la mine de danser proprement[4].

MASCARILLE, *ayant pris Magdelon*. Ma franchise va danser la
courante[5] aussi bien que mes pieds. En cadence, violons, en
675 cadence. Oh, quels ignorants ! il n'y a pas moyen de danser
avec eux. Le diable vous emporte ! ne sauriez-vous jouer en
mesure ? La, la, la, la, la, la, la, la ? Ferme, ô violons de village.

JODELET, *dansant ensuite*. Holà ! ne pressez pas si fort la cadence :
je ne fais que sortir de maladie[6].

notes

1. les âmes des pieds : les
violons - ils font danser et
donc animent les pieds.
2. quérir : chercher.
3. prélude : pièce de
musique libre.
4. proprement : selon les
règles, élégamment.

5. courante : nom d'une
danse ; le jeu de mots ici
signifie que les propos de
Mascarille vont être aussi
libres et légers que la danse.
**6. je ne fais que sortir de
maladie :** confusion
grammaticale de Jodelet qui
aurait dû dire : « je ne fais

que de sortir de maladie »
pour indiquer qu'il venait
d'être malade.

Ruelle, dessin de François Chauveau illustrant *Le Grand Cyrus*.

Au fil du texte

AVEZ-VOUS BIEN LU ?

1. Qui est Jodelet ?

2. Pourquoi Lucile et Célimène arrivent-elles ?

3. Où se situent les différentes cicatrices de Jodelet ? et celles de Mascarille ?

4. Comment Mascarille justifie-t-il ses piètres talents de danseur à la fin de la scène 12 ?

ÉTUDIER LA PLACE DE CES SCÈNES DANS LA COMÉDIE

5. De quelle autre scène de la pièce la scène 10 se rapproche-t-elle ? Quel est l'effet produit ?

6. Quels personnages entrent successivement en scène ? Que peut-on en déduire quant à la composition* d'ensemble de la pièce ?

7. En quoi cette composition de la pièce amuse-t-elle le spectateur ?

8. Quelle image des précieux cette construction de la pièce contribue-t-elle à donner ?

> *** Composition :** plan, structure.
>
> ***Procédés comiques :** comiques de situation, de gestes, de mots, de caractère ; répétition ; gradation ; effet de chute ; hyperbole ; absurde ; insinuations...

ÉTUDIER LE GENRE DE LA COMÉDIE

9. Quels procédés comiques* font rire la salle dans le passage (lignes 596 à 611) consacré aux différentes blessures ?

10. En quoi le moment du bal, à la fin de la scène 12, est-il comique ?

11. Quels éléments rappellent au spectateur que Mascarille et Jodelet ne sont que des valets déguisés ?

ÉTUDIER LA REPRÉSENTATION DE LA NOBLESSE DANS LA SCÈNE 11

12. Relevez les champs lexicaux* de la noblesse et de l'armée.

13. Relevez une phrase qui met en parallèle les deux champs lexicaux de la noblesse et de l'armée et illustrez ce rapprochement en vous appuyant sur la terminologie grammaticale. Pourquoi, selon vous, ces deux champs lexicaux sont-ils ainsi associés dans la scène 11 ?

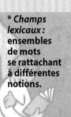

* Champs lexicaux : ensembles de mots se rattachant à différentes notions.

14. Comment s'organise grammaticalement le parallélisme des quatre premières répliques de la scène 11 ? Quel aspect de la noblesse nous montre-t-il ?

15. Pourquoi la Comtesse et le Duc, dont il est question à la fin de la scène, n'ont-ils pas de nom ?

16. Quelles sont les différentes occupations de la noblesse présentées dans cette scène ?

S'INTERROGER SUR LA DIMENSION CRITIQUE

17. Relevez et commentez deux exemples du langage précieux de Cathos et Magdelon.

18. Pourquoi Cathos dit-elle : « *Cette journée doit être marquée dans notre almanach comme une journée bienheureuse* » ?

19. Quels reproches Molière fait-il implicitement à la noblesse ?

20. Quel rôle joue ici la véritable origine sociale de Mascarille et Jodelet ?

21. Comment Molière a-t-il pu conquérir le public de la Cour avec cette comédie ? Vous vous aiderez de vos réponses aux questions précédentes.

LIRE L'IMAGE : LA RUELLE (PAGE 52)

22. En quoi la gravure illustre-t-elle l'origine du mot *ruelle* ?

23. À quoi voit-on le caractère mondain de la scène ?

À VOS PLUMES !

24. Mascarille et Jodelet rivalisent d'exploits militaires. À votre tour, mettez en scène deux personnages de votre choix qui veulent se surpasser l'un l'autre. Veillez à la gradation et au comique de votre passage ; pensez à introduire des didascalies.

Scène 13   Du Croisy, La Grange, Mascarille

680 La Grange. Ah, ah, coquins, que faites-vous ici ? Il y a trois heures que nous vous cherchons.

Mascarille, *se sentant battre.* Ahy, ahy, ahy, vous ne m'aviez pas dit que les coups en seraient aussi.

Jodelet. Ahy, ahy, ahy.

685 La Grange. C'est bien à vous, infâme[1] que vous êtes, à vouloir faire l'homme d'importance.

Du Croisy. Voilà qui vous apprendra à vous connaître.

Ils sortent.

Scène 14   Mascarille, Jodelet, Cathos, Magdelon

Magdelon. Que veut donc dire ceci ?

690 Jodelet. C'est une gageure[2].

Cathos. Quoi, vous laisser battre de la sorte !

Mascarille. Mon Dieu, je n'ai pas voulu faire semblant de rien : car je suis violent, et je me serais emporté.

Magdelon. Endurer[3] un affront comme celui-là, en notre
695 présence ?

Mascarille. Ce n'est rien, ne laissons pas d'achever. Nous nous connaissons il y a longtemps, et entre amis on ne va pas se piquer[4] pour si peu de chose.

Scène 15   Du Croisy, La Grange, Mascarille, Jodelet, Magdelon, Cathos

La Grange. Ma foi, marauds, vous ne rirez pas de nous, je vous
700 promets. Entrez, vous autres.

notes

1. *infâme :* homme sans renommée.

2. *gageure :* pari, plaisanterie.

3. *Endurer :* supporter.

4. *se piquer :* se fâcher.

MAGDELON. Quelle est donc cette audace, de venir nous troubler de la sorte, dans notre maison ?

DU CROISY. Comment, Mesdames, nous endurerons que nos laquais soient mieux reçus que nous ? qu'ils viennent vous faire l'amour[1] à nos dépens, et vous donnent le bal ?

MAGDELON. Vos laquais !

LA GRANGE. Oui, nos laquais ; et cela n'est ni beau, ni honnête, de nous les débaucher[2], comme vous faites.

MAGDELON. Ô Ciel, quelle insolence !

LA GRANGE. Mais ils n'auront pas l'avantage de se servir de nos habits, pour vous donner dans la vue[3] ; et si vous les voulez aimer, ce sera, ma foi, pour leurs beaux yeux. Vite, qu'on les dépouille sur-le-champ.

JODELET. Adieu notre braverie[4].

MASCARILLE. Voilà le marquisat et la vicomté à bas.

DU CROISY. Ha, ha, coquins, vous avez l'audace d'aller sur nos brisées[5]. Vous irez chercher autre part de quoi vous rendre agréables aux yeux de vos belles, je vous en assure.

LA GRANGE. C'est trop que de nous supplanter[6], et de nous supplanter avec nos propres habits.

MASCARILLE. Ô Fortune, quelle est ton inconstance !

DU CROISY. Vite, qu'on leur ôte jusqu'à la moindre chose.

LA GRANGE. Qu'on emporte toutes ces hardes[7], dépêchez. Maintenant, Mesdames, en l'état qu'ils sont, vous pouvez continuer vos amours avec eux, tant qu'il vous plaira : nous vous laissons toute sorte de liberté pour cela, et nous vous

notes

1. *faire l'amour :* courtiser.
2. *débaucher :* détourner de leur travail.
3. *donner dans la vue :* impressionner, éblouir.

4. *braverie :* élégance vestimentaire.
5. *aller sur nos brisées :* « essayer de nous supplanter » (terme de

chasse à l'origine).
6. *supplanter :* remplacer.
7. *hardes :* vêtements, sans connotation péjorative.

protestons[1], Monsieur et moi, que nous n'en serons aucunement jaloux.

CATHOS. Ah, quelle confusion !

730 MAGDELON. Je crève de dépit.

VIOLONS, *au marquis.* Qu'est-ce donc que ceci ? Qui nous payera, nous autres ?

MASCARILLE. Demandez à Monsieur le Vicomte.

VIOLONS, *au vicomte.* Qui est-ce qui nous donnera de l'argent ?

735 JODELET. Demandez à Monsieur le Marquis.

Scène 16   GORGIBUS, MASCARILLE, MAGDELON

GORGIBUS. Ah, coquines que vous êtes, vous nous mettez dans de beaux draps blancs[2], à ce que je vois, et je viens d'apprendre de belles affaires vraiment, de ces messieurs qui sortent.

MAGDELON. Ah ! mon père, c'est une pièce sanglante[3] qu'ils
740 nous ont faite.

GORGIBUS. Oui, c'est une pièce sanglante ; mais qui est un effet de votre impertinence, infâmes. Ils se sont ressentis[4] du traitement que vous leur avez fait ; et cependant, malheureux que je suis, il faut que je boive l'affront.

745 MAGDELON. Ah, je jure que nous en serons vengées, ou que je mourrai en la peine[5]. Et vous, marauds, osez-vous vous tenir ici, après votre insolence ?

MASCARILLE. Traiter comme cela un marquis ? Voilà ce que c'est que du monde : la moindre disgrâce nous fait mépriser de
750 ceux qui nous chérissaient. Allons, camarade, allons chercher

---

notes

1. protestons : assurons.
2. vous nous mettez dans de beaux draps blancs : « vous nous mettez dans de beaux draps, dans une situation embarrassante ».

3. pièce sanglante : expression à double sens renvoyant à la fois au théâtre et à un mauvais tour.
4. Ils se sont ressentis : « ils vous en ont voulu ».

5. en la peine : en raison de la peine.

fortune autre part : je vois bien qu'on n'aime ici que la vaine apparence, et qu'on n'y considère point la vertu toute nue.

Ils sortent tous deux.

Scène 17   Gorgibus, Magdelon, Cathos, Violons

755 Violons. Monsieur, nous entendons que vous nous contentiez[1] à leur défaut[2], pour ce que nous avons joué ici.

Gorgibus, *les battant.* Oui, oui, je vous vais contenter, et voici la monnaie dont je vous veux payer. Et vous, pendardes[3], je ne sais qui[4] me tient que je ne vous en fasse autant ; nous allons servir de fable et de risée à tout le monde, et voilà ce que vous 760 vous êtes attiré par vos extravagances. Allez vous cacher, vilaines, allez vous cacher pour jamais. Et vous, qui êtes cause de leur folie, sottes billevesées[5], pernicieux[6] amusements des esprits oisifs[7], romans, vers, chansons, sonnets et sonnettes, puissiez-vous être à tous les diables[8] !

notes

1. que vous nous contentiez : « que vous nous payiez ».
2. à leur défaut : à leur place.
3. pendardes : friponnes.
4. qui : ce qui.

5. billevesées : propos vides de sens.
6. pernicieux : dangereux.
7. oisifs : sans occupation.
8. Les propos adressés au public s'inscrivent dans la

tradition du *plaudite* (« applaudissez ») de la comédie latine : un personnage vient conclure en s'adressant au public.

Au fil du texte

AVEZ-VOUS BIEN LU ?

1. Quelles sont les propositions exactes ?

a) La Grange frappe Mascarille avec un bâton.

b) La Grange et Du Croisy quittent la scène accompagnés de leurs valets respectifs.

c) Les précieuses se réconcilient avec les jeunes gens.

d) Personne ne veut payer les musiciens.

e) Gorgibus intervient pour apaiser la situation.

* Composition : plan, structure.

* Valeur injonctive : valeur d'ordre.

* Modalités : types de phrases (déclarative, interrogative, exclamative, injonctive).

ÉTUDIER LA COMPOSITION* DE LA PIÈCE

2. En quoi l'arrivée de La Grange et de Du Croisy s'inscrit-elle dans une progression amorcée dès la scène 6 ?

3. De quelle réplique de la scène 1 la phrase de Magdelon « *C'est une pièce sanglante qu'ils nous ont faite* » se fait-elle l'écho ?

4. Pourquoi, selon vous, Molière marque-t-il aussi nettement la composition de sa comédie ?

ÉTUDIER LE RENVERSEMENT DE SITUATION

5. Relevez, dans la scène 15, les modes et temps verbaux à valeur injonctive★. Pourquoi sont-ils si nombreux ?

6. À quels types de phrases appartiennent les différentes répliques de Cathos et Magdelon ? Justifiez ces modalités★.

7. Comment Mascarille et Jodelet réagissent-ils à l'intervention de leurs maîtres ?

ÉTUDIER LE DÉNOUEMENT

8. Quel événement introduit une rupture dans la pièce ? Peut-on parler pour autant de « coup de théâtre★ » ? Justifiez votre réponse.

9. En quoi consiste le dénouement de l'intrigue ?

10. Pourquoi le spectateur peut-il être surpris par les coups de bâton que La Grange donne à son valet ? Comment les expliquez-vous ?

11. Quel rôle joue la dernière réplique de Gorgibus ? Quelles leçons s'en dégagent ?

* Coup de théâtre : événement inattendu qui vient dénouer l'intrigue.

ÉTUDIER LE THÉÂTRE DANS LE THÉÂTRE*

12. Dans quelle mesure peut-on parler, pour cette comédie, de « théâtre dans le théâtre » ? Quel est le rôle particulier de la scène 14 ?

13. Quelle place Lucile, Célimène, Marotte et les violons (scènes 14 et 15) tiennent-ils dans le procédé de théâtre dans le théâtre ?

14. Quel est, selon vous, l'effet de ce procédé sur les spectateurs ?

15. Quelle place la dernière réplique de Mascarille (scène 17) tient-elle dans ce procédé de théâtre dans le théâtre ? Quelle leçon véhicule-t-elle également ?

* Théâtre dans le théâtre : procédé qui donne au spectateur l'impression que les comédiens jouent une pièce à l'intérieur de la pièce proprement dite.

À VOS PLUMES !

16. Imaginez que La Grange et Du Croisy se retrouvent pour commenter le dénouement de leur « *pièce cruelle* ».

Retour sur l'œuvre

1. Vérifiez votre connaissance du vocabulaire du théâtre en complétant les phrases suivantes :

1) Dans la scène d'....................................., on apprend que les précieuses ont mal reçu La Grange et Du Croisy.

2) Dans la scène 9, « *s'écriant brusquement* » est une ....

3) L'arrivée de Mascarille dans sa chaise à porteurs relève du comique de ....

4) L'impromptu écrit et commenté par Mascarille appartient au comique de ....

5) La prétention des deux jeunes filles et des deux valets est une forme de comique de ....

2. Placez les événements ci-après dans l'ordre chronologique.

1) Mascarille arrive en chaise à porteurs.

2) Mascarille veut montrer aux jeunes filles ses cicatrices.

3) Mascarille danse.

4) Les précieux discutent théâtre.

5) Magdelon expose le parcours de l'amour précieux.

6) Cathos et Magdelon repoussent les prétendants choisis par leur père.

7) Jodelet entre en scène.

8) Lucile entre en scène.

9) La Grange et Du Croisy préparent une « *pièce sanglante* ».

10) Les jeunes gens proposent une promenade.

3. Parmi les événements précédents, lequel n'est pas mis en scène ?

....

....

4. Attribuez les répliques suivantes aux personnages qui les ont prononcées :

1) « *Vicomte, dis-moi un peu, y a-t-il longtemps que tu n'as vu la comtesse ?* »...

....

2) « *Qu'est-ce donc que ceci ? qui nous payera, nous autres ?* »

....

3) « *Les gens de qualité savent tout, sans avoir jamais rien appris.* » ....

4) « *Ces pendardes-là avec leur pommade ont, je pense, envie de me ruiner.* »...

5) « *Et le moyen de connaître où est le beau vers, si le comédien ne s'y arrête et ne vous avertit par là qu'il faut faire le brouhaha ?* »...

6) « *La Cour récompense bien mal aujourd'hui les gens de service comme nous.* »..

....

7) « *Je n'ai pas appris, comme vous, la filofie dans* Le Grand Cyre. » ....

8) « *je vois bien qu'on n'aime ici que la vaine apparence, et qu'on n'y considère point la vertu toute nue.* »......................

....

9) « *C'est une pièce sanglante qu'ils nous ont faite.* »..

5. Étudiez la satire en complétant le tableau ci-dessous.

Personnages ridiculisés	Travers dénoncés par Molière
Gorgibus	....
Cathos et Magdelon	....
Mascarille	....
Jodelet	....

6. Étudiez le langage précieux selon Molière en associant les expressions.

Langage précieux

1) les commodités de la conversation

2) le conseiller des grâces

3) le sublime

4) le grand bureau des merveilles

5) les âmes des pieds

6) imprimer [ses] souliers en boue

Langage courant

☐ ☐ *a)* Paris

☐ ☐ *b)* le cerveau

☐ ☐ *c)* salir ses souliers

☐ ☐ *d)* les fauteuils

☐ ☐ *e)* les violons

☐ ☐ *f)* le miroir

Dossier
Bibliocollège

Structure de la pièce

Petite pièce en un acte destinée à compléter la
représentation de *Cinna* de Corneille, la comédie des
Précieuses ridicules n'en est pas pour autant un
divertissement improvisé. Si Molière a obtenu la salle
du Petit-Bourbon en alternance avec les Italiens, ce
n'est pas pour son interprétation des tragédies mais
pour avoir fait rire le roi. Aussi se doit-il de consolider
ses positions devant les spectateurs parisiens. En habile
directeur de troupe, il sait que ce n'est pas en jouant
Corneille mais par la qualité de sa comédie qu'il
parviendra à s'imposer. Engager Jodelet, un comédien
expérimenté dont la force comique n'est plus à
prouver, et jouer l'exagération dans l'esprit de la farce
ne suffisent pas. Molière soigne la composition de sa
pièce et tout est prévu, dans les grandes lignes comme
dans le détail, pour séduire les spectateurs.

LES GRANDES LIGNES DE LA PIÈCE

La comédie est centrée sur la « *pièce* » annoncée par
La Grange dans la scène 1 : « *nous leur jouerons tous
deux une pièce, qui leur fera voir leur sottise* ». À la fin, les
deux jeunes gens et Gorgibus, tous trois présents au
début, reviennent pour assister au dénouement de la
« *pièce sanglante* » (scène 16).
La « *pièce* » proprement dite se caractérise par
l'augmentation du nombre de personnages de façon à
donner l'impression d'un véritable salon.

Exposition : présentation de la « _pièce_ » qui va être jouée aux précieuses Les précieuses apparaissent quand les « auteurs » de la « _pièce_ » s'effacent.		Scène 1	La Grange et Du Croisy, furieux du mauvais accueil que leur ont réservé Cathos et Magdelon, décident de se venger.
		Scènes 3, 4 et 5	Gorgibus exprime sa volonté de marier les deux jeunes filles qui s'opposent à lui et critique leur préciosité.
Action : la « _pièce_ » annoncée Le salon des précieuses se remplit progressivement.	Autour de Mascarille (3 personnages)	Scènes 6, 7 et 8	Arrivée de Mascarille se faisant passer pour un marquis.
		Scène 9	Conversation mondaine entre Mascarille et les deux jeunes filles.
	Autour de Jodelet (4 personnages)	Scène 10	Arrivée de Jodelet se faisant passer pour un vicomte.
		Scène 11	Conversation mondaine entre les deux jeunes gens et les deux jeunes filles.
	Le bal (8 personnages et des musiciens)	Scène 12	Arrivée de deux autres jeunes filles et de musiciens pour le bal.
Résolution : la « _pièce_ » démasquée Le salon se vide quand La Grange et Du Croisy sont de retour.	Retour de La Grange et Du Croisy	Scènes 13, 14 et 15	Les jeunes gens éconduits viennent révéler la mascarade et punir leurs valets.
	Retour de Gorgibus	Scène 16	Gorgibus vient assister au dénouement de la « _pièce sanglante_ » qui a été jouée.
Dénouement		Scène 17	Cathos et Magdelon se taisent ; elles ne sont plus que des « _vilaines_ » et c'est Gorgibus qui a le dernier mot.

L'ORGANISATION DES PERSONNAGES

• Tableau de présence en scène des personnages

Personnages	Scènes																	To
	1	2	3	4	5	6	7	8	9	10	11	12	13	14	15	16	17	
La Grange	X	X											X		X			
Du Croisy	X	X											X		X			
Gorgibus		X	X	X												X	X	
Magdelon				X	X	X			X	X	X	X	X	X	X	X	X	
Cathos				X	X	X			X	X	X	X	X	X	X	X	X	
Marotte			X			X		X		X	X	X	X	X	X			
Almanzor											X	X	X					
Mascarille							X	X	X	X	X	X	X	X	X	X		
Jodelet											X	X		X	X	X		
Deux porteurs de chaise							X											
Voisines													X	X	X	X		
Violons												X	X	X	X	X	X	

Les précieuses annoncées par le titre sont les deux personnages les plus présents ; elles sont indissociables, comme si elles n'étaient que le dédoublement d'une figure unique destinée à faire rire et à multiplier mimiques et jeux de scène.

Vient ensuite Mascarille, joué par Molière lui-même ; Jodelet n'apparaît qu'à la scène 11 pour donner un autre tour à la conversation mondaine en introduisant la vantardise militaire.

La Grange, Du Croisy et Gorgibus n'interviennent qu'au début et à la fin de la comédie ; les deux premiers sont les « auteurs » de la petite « pièce » dont ils vont venir jouer le dernier acte. Quant à Gorgibus, il est finalement à l'origine de tout le processus puisque c'est lui qui, dans son seul intérêt personnel, a décidé de marier Cathos et Magdelon aux deux jeunes gens. Les autres personnages servent principalement à remplir la scène pour donner vie à la représentation d'un salon.

• **L'organisation des personnages par paires**

Dans l'esprit d'une comédie fonctionnant de manière « mécanique » pour déclencher le rire des spectateurs, les personnages des *Précieuses ridicules* vont par deux, sauf un :

– Les précieuses : Cathos et Magdelon.
– Les jeunes gens éconduits : La Grange et Du Croisy.
– Les valets travestis : Mascarille et Jodelet.
– Les serviteurs des précieuses : Marotte et Almanzor.
– Les voisines : Lucile et Célimène.
– Les deux porteurs.
– Reste Gorgibus, le traditionnel barbon de la comédie. En dernier ressort, c'est lui qui est ridiculisé car son projet de marier les deux jeunes filles pour s'en débarrasser est totalement anéanti ; seul sur scène pour prononcer les derniers mots de la pièce, il va « *servir de fable et de risée à tout le monde* ».

Ainsi, la force de cette courte comédie tient en grande partie à sa structure simple, qu'il s'agisse de la composition de l'intrigue ou de l'organisation des personnages. La rigueur des schémas, ajoutée à la brièveté de la pièce, n'en donne que plus d'éclat aux divers procédés comiques et aux subtilités de la satire.

Il était une fois Molière

En France, le genre de la comédie doit à Molière quelques-unes de ses plus fameuses œuvres. Mais avant d'être dramaturge, Molière a d'abord été directeur de troupe et comédien.

UNE VOCATION DE COMÉDIEN

Fils d'un tapissier du roi, Jean-Baptiste Poquelin naît à Paris en 1622. À 10 ans, il perd sa mère. En 1635, il entre au collège de Clermont – une institution dirigée par les jésuites. Il y poursuit ses études et, poussé par son père, se tourne vers le droit jusqu'à obtenir sa licence. Mais le jeune homme, depuis longtemps attiré par le théâtre, ne manque pas une occasion de voir jouer le comédien italien Tiberio Fiorelli, dit Scaramouche. En 1642, âgé de 20 ans, Jean-Baptiste fait la connaissance de l'actrice Madeleine Béjart : il abandonne alors la vie bourgeoise et la carrière d'avocat.

En 1643, il fonde, avec la famille Béjart, une troupe de comédiens, l'Illustre-Théâtre. En 1664, il se choisit le pseudonyme de *Molière*. Après quelques années difficiles à Paris, la troupe, dont il est le directeur, part sur les routes de France à la recherche du succès. Pendant une douzaine d'années, les comédiens vont de ville en ville, parcourant les provinces du Sud et de l'Ouest, montant et démontant leurs tréteaux. Protégé par le prince de Conti à partir de 1653, Molière connaît enfin le succès à Lyon, en 1655, avec *L'Étourdi* et, en 1656, à Béziers, avec le *Dépit amoureux*, deux comédies dans lesquelles figure déjà le personnage de

Dates clés
1622 : naissance de Jean-Baptiste Poquelin (Molière).
1643 : création de l'Illustre-Théâtre.

Mascarille. L'errance et les voyages fatigants sont oubliés : l'Illustre-Théâtre regagne Paris que Molière a bien l'intention de conquérir.

LES PRÉCIEUSES RIDICULES : LE DÉBUT DU SUCCÈS

À Paris, Molière voudrait s'imposer comme acteur tragique car la tragédie est considérée comme un genre noble à la différence de la comédie. Le 24 octobre 1658, il joue *Nicomède* de Corneille devant le roi, la Cour et les comédiens de l'Hôtel de Bourgogne. Louis XIV apprécie non pas ses talents d'acteur tragique, mais la farce du *Docteur amoureux* qui accompagne la pièce de Corneille. S'étant bien amusé, il accorde à Molière une petite pension, rebaptise la troupe « Troupe de Monsieur » (Monsieur est le frère du roi, Philippe d'Orléans) et lui attribue la salle du Petit-Bourbon. Molière et sa troupe y jouent en alternance avec les Comédiens-Italiens.

Mais Molière est bien conscient qu'il doit conforter une situation encore fragile. Il écrit donc la petite comédie des *Précieuses ridicules*, jouée en 1659 en complément de *Cinna* de Corneille. Dans celle-ci, Molière emploie à nouveau les ressorts de la farce qui lui ont valu ses premiers succès, mais prend aussi le risque de tendre à la haute société, qu'il souhaite conquérir, un miroir peu flatteur. Grâce au jeu du théâtre dans le théâtre, il désamorce subtilement la satire et provoque le rire. Le dramaturge y tient le rôle de Mascarille et confie à Jodelet, un acteur comique réputé, tout juste entré dans la troupe, le personnage du même nom. La pièce est un succès et la renommée de Molière est assurée ! Pour prévenir le projet d'un libraire peu scrupuleux,

Dates clés
1658 : retour de la troupe à Paris.
1659 : premier grand succès à Paris avec *Les Précieuses ridicules.*
1662 : *L'École des femmes.*
1663 : *La Critique de L'École des femmes.*

la pièce est imprimée en 1660. 1660 est aussi l'année de création du valet Sganarelle qui prend, en quelque sorte, le relais de Mascarille.

Mais la gloire suscite la jalousie et, mis au défi de composer une comédie héroïque en vers, Molière écrit et met en scène *Dom Garcie de Navarre*. La pièce est un échec et Molière revient à ses sources d'inspiration comique que sont la farce et la *commedia dell'arte*. En 1662, il épouse Armande Béjart (fille ou sœur de Madeleine), plus jeune que lui de vingt ans, et s'impose avec une comédie en cinq actes et en vers (comme pour les tragédies, le genre prestigieux) : *L'École des femmes*. Cette pièce est controversée et Molière prend sa défense en 1663 dans une petite comédie intitulée *La Critique de L'École des femmes*.

DES ANNÉES DE COMBAT

Dates clés
1664 : interdiction du *Tartuffe*.
1665 : *Dom Juan*.

Molière est protégé par le roi : Louis XIV lui attribue en effet en 1661, après la démolition de la salle du Petit-Bourbon, le théâtre du Palais-Royal qu'il partage encore avec les Comédiens-Italiens. Le souverain devient aussi, en 1662, le parrain de son premier enfant – un fils qui ne vivra que dix mois. Cette protection royale ne met cependant pas Molière à l'abri des critiques des jaloux ou de ceux qui se sentent visés par ses comédies.

En 1664, la comédie en vers *Tartuffe* est interdite à sa première représentation. Molière, partisan de la « *vertu toute nue* » (dernière réplique de Mascarille dans *Les Précieuses ridicules*), y dénonce l'hypocrisie des faux dévots. Les défenseurs d'une religion stricte font pression sur le roi qui condamne la pièce. Il faudra que Molière attende cinq ans, cinq années de combat (la fameuse « querelle du *Tartuffe* »), pour que la pièce soit enfin jouée en 1669. Entre-temps, Molière doit assurer la survie de sa troupe. Il monte rapidement, en 1665, *Dom Juan* – une pièce à grand spectacle sur un thème à la mode. Mais comme il reprend les sujets du *Tartuffe*, religion et hypocrisie, la pièce est également en partie censurée.

LES DERNIÈRES ANNÉES

Molière continue à obtenir un grand succès auprès du public : *Le Misanthrope* et *Le Médecin malgré lui* en 1666, *L'Avare* en 1668, *Le Bourgeois gentilhomme* en collaboration avec le musicien Lully (1670), *Les Fourberies de Scapin* (1671) – une comédie dans l'esprit de la *commedia dell'arte*. Dans *Les Femmes savantes* (1672), il s'en prend à nouveau aux prétentions féminines.

Mais sa santé ne cesse de se détériorer. Il se sent abandonné par le roi qui lui préfère Lully. Gravement malade, il compose et met en scène, en 1673, *Le Malade imaginaire* : une comédie dans laquelle, jouant le rôle du faux malade, il dénonce une dernière fois les incompétents et les prétentieux, tout ce qui relève de la « *vaine apparence* » (dernière réplique de Mascarille dans *Les Précieuses ridicules*).

Le 17 février 1673, à la quatrième représentation de la pièce, il est pris d'un malaise et meurt quelques heures plus tard. Les comédiens étant exclus des sacrements catholiques, il ne peut les recevoir ; il n'a droit à des funérailles, clandestines et de nuit, que grâce à l'intervention du roi. La tombe de Molière se trouve au cimetière du Père-Lachaise à Paris.

Dates clés
1666 : *Le Misanthrope.*
1672 : *Les Femmes savantes.*
1673 : Molière meurt à la quatrième représentation du *Malade imaginaire.*

Être un homme de théâtre sous Louis XIV

UNE MONARCHIE ABSOLUE

• Une aristocratie domestiquée

À retenir
Établissement d'une monarchie absolue : après la Fronde, la monarchie se renforce et la noblesse perd de son influence.

Louis XIII meurt en 1643 alors que Louis XIV n'a que 5 ans ; après la régence d'Anne d'Autriche, Louis XIV règne en roi absolu, sans Premier ministre, de 1661 (mort du Premier ministre Mazarin) à 1715. En 1653, Mazarin avait maîtrisé la Fronde, un combat mené par les nobles contre la monarchie absolue. Au milieu du XVIIe siècle, l'aristocratie a désormais perdu tout pouvoir ; les Grands deviennent, sous Louis XIV, des courtisans. Ils participent à la vie fastueuse du Louvre, puis de Versailles, et attendent du roi des rentes. La vie mondaine est la clé de l'édifice et les fondements militaires de la noblesse s'estompent, comme en témoigne la scène 11 des *Précieuses ridicules* : « *La guerre est une belle chose ; mais, ma foi, la Cour récompense bien mal aujourd'hui les gens de service comme nous* » (Jodelet).

• Le rayonnement de Louis XIV et son influence sur les arts

À retenir
Le rayonnement du roi : Louis XIV influence de façon déterminante les arts en France ; la France inspire l'Europe.

Le Roi-Soleil règne en maître absolu. Pour assurer son prestige personnel, il bâtit (le château de Versailles et ses jardins), organise des fêtes et mène des guerres. La France rayonne en Europe mais elle est ruinée.
Louis XIV, s'écartant progressivement du courant esthétique baroque alors dominant en Europe, impose le classicisme.
L'autorité du roi s'exerce aussi du côté des idées : il décide de ce qui peut être écrit ou joué sur scène.

C'est lui qui confie à Molière les théâtres du
Petit-Bourbon en 1658, puis du Palais-Royal en 1661.
C'est encore lui qui, subissant la pression d'un
entourage religieux strict, interdit *Le Tartuffe* – une
comédie dont le dénouement exprime pourtant la
justice et le pouvoir du monarque. En 1697, sous
l'influence de Mme de Maintenon et des dévots, il
chasse les Comédiens-Italiens jugés trop divertissants.
Le Régent, Philippe d'Orléans, les fera revenir en 1716.

LE CONTEXTE ARTISTIQUE

• Baroque et classicisme

Deux mouvements esthétiques se chevauchent et se
succèdent. Le premier, le baroque, exprime l'angoisse
de l'homme face à la complexité du monde. Il domine
en Europe jusqu'à la fin du XVIIIe siècle et se caractérise
par la profusion des décors, la place des miroirs, des
masques et des trompe-l'œil, les procédés de mise en
abyme tels que le jeu du théâtre dans le théâtre. Le classicisme, soutenu par Louis XIV, est, quant à lui, un courant
spécifiquement français. L'équilibre, la simplicité et la
rigueur, inspirés de l'Antiquité, s'imposent. Ce mouve-
ment s'exprime en architecture avec Mansart et Le Vau
pour la construction du château de Versailles ainsi
qu'avec Le Nôtre, pour les jardins dits « à la française ».
Du côté de la littérature, Racine, l'auteur de tragédies
comme *Andromaque* (1667) et *Phèdre* (1677), en est un
représentant illustre. Mais déjà, en 1659, la composition
simple et symétrique des *Précieuses* relève du classicisme.

À retenir
Le classicisme :
en réaction à la
profusion de
l'esthétique
baroque, ce
courant développé
en France prône la
simplicité et
l'équilibre.
**Mansart, Le Vau
et Le Nôtre :**
ils ont participé
à la création du
château de
Versailles.

Être un homme de théâtre sous Louis XIV

• L'âge d'or du théâtre

À retenir
Pierre Corneille et Jean Racine :
ce sont les deux principaux auteurs de tragédies.
Molière : il marque en profondeur le genre de la comédie.

Le XVIIe est un grand siècle pour le théâtre. S'inspirant des modèles antiques, les tragédies expriment la misère de l'homme face à un destin qui le dépasse. En vers et en cinq actes, elles forment le genre littéraire le plus prisé. Pierre Corneille (1606-1684) et Jean Racine (1639-1699) y excellent. Il n'y a donc rien d'étonnant à ce que Molière ait d'abord tenté de s'imposer en jouant des tragédies. La comédie, d'inspiration plus populaire, est considérée jusqu'à la fin du XVIIIe siècle comme un genre secondaire. Dans la première moitié du siècle, les auteurs français s'inspirent des comédies italiennes et espagnoles, et c'est Molière qui dès 1659, avec *Les Précieuses ridicules*, renouvelle le genre et impose une signature qui marquera durablement le théâtre français.

LE THÉÂTRE À PARIS AU XVIIE SIÈCLE

• Les artistes

À retenir
Les comédiens :
ils mènent une vie difficile et sont frappés d'excommunication.

Les comédiens appartiennent à des troupes et leur vie est souvent très difficile. Pour survivre, il faut savoir échapper à la censure, affronter les jalousies, séduire un public souvent agité. Faisant profession du mensonge et du divertissement, les comédiens sont excommuniés, c'est-à-dire exclus de la religion catholique. Les derniers sacrements leur sont refusés et c'est pour cette raison que les funérailles de Molière auront lieu discrètement la nuit.

Quant aux auteurs, leur rétribution est forfaitaire. Pire : à leurs débuts, ils ne sont généralement pas payés. Dès qu'une pièce est imprimée, elle ne peut plus être pillée sans vergogne mais tout le monde peut la jouer sans que l'auteur touche des droits. Ainsi, pour se protéger d'un libraire désireux de s'emparer des *Précieuses ridicules*, Molière fait publier sa petite comédie en 1660 ; dès lors, il n'est plus possible de la jouer sous un autre nom. La concurrence est rude chez les auteurs de théâtre et tous les moyens sont bons ; les auteurs donnent lecture de leurs pièces et cherchent des appuis qui s'engagent à applaudir aveuglément *« devant que les chandelles soient allumées »* (Mascarille, scène 9).

- ### Les conditions matérielles de la représentation

Du temps de Molière, les pièces de théâtre sont jouées dans des conditions bien différentes de celles d'aujourd'hui. En premier lieu, la salle reste éclairée durant tout le spectacle et le public, qui est là pour se divertir, n'est pas nécessairement venu pour voir la pièce. En bas, au parterre, les spectateurs sont debout. Dans les loges, sur les côtés, les personnes de condition plus élevée poursuivent les conversations commencées un peu plus tôt dans les « ruelles ». Pour les spectateurs les plus fortunés ou les plus importants, des fauteuils sont installés sur la scène même, de chaque côté.

La publicité est assurée par un orateur qui, à la fin d'une pièce, vient présenter les prochains spectacles. En 1659, c'est Molière qui assure cette fonction.

À retenir
Le théâtre : c'est un lieu de rencontre mondain et la salle reste éclairée durant toute la représentation.

Les différentes troupes

• Les troupes officielles

Quand Molière arrive à Paris après une vie de comédien itinérant, deux troupes officielles cohabitent. Les « Grands Comédiens » ou « Comédiens du roi » sont subventionnés par le roi ; installés à l'Hôtel de Bourgogne, dans le quartier de Saint-Eustache, ils jouent principalement des tragédies et sont renommés.

La troupe du Marais (les « Petits Comédiens ») obtient aussi de grands succès en jouant des tragédies, notamment celles de Corneille (*Le Cid* en 1637). On y représente également des comédies, celles de Scarron (par exemple, *Jodelet ou le Maître valet*, 1645) avec le comédien Jodelet attirent le public.

En 1659, ce célèbre acteur comique rejoint la troupe de Molière. Il joue le visage enfariné – ce que Molière met en avant lors de son entrée en scène dans *Les Précieuses ridicules* : « *il ne fait que sortir d'une maladie qui lui a rendu le visage pâle, comme vous le voyez* » (Mascarille, scène 11).

• Une troupe particulière : les Italiens

Invités en France par Catherine de Médicis à la fin du XVIe siècle, les comédiens italiens, avec la *commedia dell'arte*, triomphent à Paris. Ce théâtre très codifié met en scène des personnages types qui ne changent pas d'une pièce à l'autre : Dottore (« docteur ») le pédant, Pantalon l'avare, etc., ainsi que les *zanni* (les « valets ») Arlequin, Scapin, Polichinelle. L'intrigue est réduite à un schéma, le *scenario*, et les acteurs improvisent, brodent sur ce canevas en ajoutant toutes les acrobaties (les *lazzis*, c'est-à-dire les jeux de scène) qui correspondent à leur rôle.

Les troupes italiennes se sont déplacées dans toute l'Europe, influençant particulièrement le théâtre français. Molière, grand admirateur de la *commedia dell'arte*, s'inspire des Italiens avec lesquels il partage la salle du Petit-Bourbon (1658), puis celle du Palais-Royal (1661).

Au XVIIIe siècle, Marivaux, puisant également son inspiration dans ce théâtre d'improvisation, écrira ses plus célèbres comédies (comme *Le Jeu de l'amour et du hasard*, 1730) pour la troupe des Italiens.

• La troupe de Molière

Molière, auteur, metteur en scène et comédien, est également directeur de troupe. En 1659, il recrute Jodelet, qui a déjà 60 ans, et trois jeunes comédiens : La Grange, Du Croisy et sa femme, Armande.

Le répertoire comprend des tragédies tombées dans le domaine public (à partir de leur date d'impression), des comédies de Scarron et de Thomas Corneille, ainsi que les propres créations de Molière.

Les rivalités entre les troupes, les cabales, les querelles se multiplient et Molière devra sans cesse se battre pour défendre ses comédies.

En 1680, sept ans après son décès, Louis XIV décide la fusion des trois troupes officielles : la Comédie-Française est née. Elle continue de jouer aujourd'hui le répertoire classique.

La comédie selon Molière

Après les premiers succès de 1658 obtenus devant le roi lui-même, Molière veut confirmer sa réputation naissante avec une nouvelle création : *Les Précieuses ridicules*. Il a bien compris que, pour lui, la tragédie était une impasse ; il tente alors de conquérir le public en donnant au sous-genre de la comédie ses lettres de noblesse. Les pitreries de la farce et de la *commedia dell'arte* trouvent leur place dans une construction classique et Molière manie avec subtilité tous les ressorts du genre pour tendre à la Cour, qu'il veut séduire, un miroir aux multiples facettes.

SOURCES ET INFLUENCES

• Le thème de la préciosité

À retenir

Les sources antiques : Molière s'inspire de l'intrigue et des personnages types de la comédie latine.
L'héritage médiéval : la farce médiévale nourrit également le comique des *Précieuses ridicules*.
L'influence italienne : la *commedia dell'arte* est une source d'inspiration pour Molière.

Lorsque Molière a mis en scène *Les Précieuses ridicules*, certains de ses contemporains l'ont accusé d'avoir repris un roman (*La Prétieuse ou le Mystère des ruelles*) que l'abbé de Pure avait écrit en 1656 et dont il avait été tiré une farce, *La Prétieuse*, destinée aux Comédiens-Italiens. Il ne reste pas trace de cette pièce et il ne s'agissait sans doute en fait que d'un canevas. Rien d'étonnant ni de scandaleux à l'époque si Molière reprend une intrigue existante et puise son inspiration chez les comédiens qu'il admire.

Mais il faut plutôt considérer le contexte de la représentation. Molière, récemment arrivé à Paris après une douzaine d'années passées en province, découvre la vie mondaine et les divers amusements de la bonne société. Si le parterre, sensible à la farce, lui est acquis, rien n'est gagné du côté de la Cour, qui affirme son goût pour les jeux subtils de l'« esprit ». Pour conquérir ce public difficile, Molière lance le défi de lui tendre un miroir. La préciosité et la vie des « ruelles » (les premiers salons) qui sont à la mode se retrouvent donc en avant-scène. Et si l'abbé de Pure en 1656 comme Somaize en 1660 (*Les Véritables Précieuses*, en réponse à Molière) choisissent ce thème, c'est simplement qu'il est de circonstance.

- **Les influences croisées**

De même que la tragédie s'inspire des modèles antiques, la comédie puise dans des sources anciennes. C'est un genre qui est populaire dès son origine. Le théâtre de rue le reprend et le renouvelle : la farce médiévale comme le théâtre italien sont ainsi les lointains descendants de la comédie latine.

Du théâtre de Plaute ou de Térence, Molière reprend les personnages types, simplifiés à l'extrême. Ainsi, Gorgibus, égoïste et obtus, est le *senex* (« vieillard ») de la comédie latine : « *la garde de deux filles est une charge un peu trop pesante pour un homme de mon âge* » (scène 4). Quant aux autres personnages, ils apparaissent deux par deux – ce qui les prive de toute individualité. On retrouve aussi trace, du moins au début de la pièce, de l'intrigue de la comédie latine : le barbon ne veut pas écouter les sentiments des jeunes filles et leur impose son autorité absolue en matière de mariage (« *ou vous serez mariées toutes deux, avant qu'il soit peu, ou, ma foi, vous serez religieuses* », scène 4). L'influence de la farce se laisse également deviner même si le thème de la mondanité appelle un langage recherché. En effet, les rires de Mascarille, ses revirements brusques et, surtout, la scène des cicatrices au cours de laquelle le prétendu marquis menace de déboutonner son haut-de-chausses relèvent du genre médiéval de la farce. Les didascalies sont peu nombreuses mais les répliques servent de support à de nombreux jeux de scène comme l'arrivée de Mascarille. Les témoignages de l'époque quant au costume de Molière vont aussi dans le sens de la farce : la tenue extravagante de Mascarille contraste avec le costume démodé de l'avare Gorgibus. On n'est pas loin du carnaval dans cette comédie qui se termine par un bal.

Les *lazzi* de la *commedia dell'arte* reprennent les pirouettes de la farce et le jeu de Molière doit sans aucun doute autant à celui des Italiens qu'à celui du théâtre médiéval. À la troupe italienne, Molière emprunte aussi l'habitude de donner aux personnages les noms des comédiens qui vont les interpréter. Ainsi, le transfuge du théâtre du Marais, Jodelet, joue le prétendu vicomte de Jodelet. La Grange et Du Croisy sont les patronymes de deux comédiens qui viennent d'entrer dans la troupe. Quant à Cathos et Magdelon, leurs noms sont bien proches de leurs interterprètes respectives : Catherine de Brie et Madeleine Béjart. À moins que Molière ne pense à Catherine de Rambouillet et Madeleine de Scudéry, deux femmes à la mode en 1659... Le théâtre est un jeu de masques plein de surprises.

• Esthétiques baroque et classique

Au XVIIe siècle, l'esthétique baroque domine en Europe, prônant les décors chargés, les vertiges de l'illusion, tout ce qui donne une image mouvante et confuse de la vie. En France, sous Louis XIV, un courant contraire impose des lignes sobres et des formes équilibrées. Molière, dans *Les Précieuses ridicules*, fait le choix d'une composition simple : le plan de la pièce, les personnages qui fonctionnent par paires. Cependant, cette rigueur toute classique se double d'une confusion baroque séduisante pour le spectateur. En effet, le dramaturge installe sur la scène des miroirs qui font que, sans cesse, les images montrées se dérobent. La bonne société des salons se regarde commenter ses impromptus, raconter ses exploits militaires, danser au son des violons... Mais tout cela n'est qu'illusion : le marquis et le vicomte ne sont en fait que deux valets prétentieux, les précieuses ne sont que deux « *pecques provinciales* », fille et nièce d'un bourgeois obtus et égoïste. En même temps qu'il tend un miroir truqué au public, Molière en propose un au théâtre lui-même : réflexions sur les troupes et le jeu des comédiens dans la scène 6, procédé de théâtre dans le théâtre dès lors que les valets se font passer pour des nobles. Jusqu'au bout, tout n'est que théâtre comme nous le rappellent les derniers coups de bâton donnés par Gorgibus en guise de conclusion.

> **À retenir**
> Dans *Les Précieuses ridicules* : rigueur classique et fantaisie baroque se mêlent étroitement.

DÉFENSE ET ILLUSTRATION DE LA COMÉDIE

En 1549, dans *La Défense et Illustration de la langue française*, le poète Joachim du Bellay cherchait à soutenir les qualités littéraires du français, encore à l'ombre du latin ; en reprenant ce titre, on peut avancer que Molière, avec *Les Précieuses ridicules*, donne ses lettres de noblesse à la comédie, cousine pauvre de la prestigieuse tragédie.

• Artifice théâtral et illusion de vie

À retenir
Le souci du réel : sans renier la schématisation traditionnelle de la comédie, Molière cherche à donner l'illusion du réel.

Dans le théâtre antique, les masques rappellent aux spectateurs que les personnages ne sont que des types, des marionnettes sans vie dans les mains du dramaturge. Molière s'inscrit dans cette tradition en associant les personnages deux par deux de façon mécanique (voir la structure de la pièce, page 66). Mais il a le souci de donner vie à ses pantins en introduisant entre eux des différences légères qui tempèrent la simplification systématique de la farce ou du théâtre italien. En effet, on ne peut confondre La Grange et Du Croisy car c'est le premier qui a l'idée de la « *pièce sanglante* » et qui va revenir un bâton à la main pour battre son valet Mascarille. Du côté des laquais travestis, il faut apporter les mêmes nuances : Mascarille, qui tient le rôle principal, est plus subtil ; il se pique de littérature alors que Jodelet se cantonne dans un discours militaire. Si Cathos et Magdelon ne sont pas différenciées dans les propos de La Grange (scène 1), elles gagnent progressivement en autonomie. C'est Magdelon qui développe sa conception de l'amour dans une longue réplique quand sa cousine, elle, n'est capable que de ces mots : « *Comment est-ce qu'on peut souffrir la pensée de coucher contre un homme vraiment nu ?* » (scène 4). Ces nuances donnent du relief aux personnages qui semblent être, en définitive, davantage des caractères munis d'une psychologie propre que des types.

Ce souci du réel, on le devine aussi dans les propos ironiques que tient Mascarille-Molière au sujet du théâtre. Évoquant les comédiens de l'Hôtel de Bourgogne, il leur reproche indirectement (éloge ironique) de « *faire valoir les choses* », et de « *faire ronfler les vers* » alors que les « *ignorants* », c'est-à-dire la troupe de Molière, « *récitent comme l'on parle* » (scène 9). L'illusion du réel devient donc l'une des finalités du théâtre malgré ses artifices nettement affichés.

• Le comique

Pour séduire les spectateurs, Molière joue sur toute la gamme du comique, du plus gras au plus léger. On y déboutonne son haut-de-chausses (Mascarille dans la scène 11) et on y lance une pique aux Grands Comédiens de l'Hôtel de Bourgogne présents dans la salle (scène 9). Tous les procédés sont convoqués : le comique de situation avec la « *pièce sanglante* » qui met en présence de faux nobles et de fausses précieuses, le comique de gestes avec les pitreries des deux valets (par exemple, l'entrée en scène de Mascarille), le comique de caractère avec l'opposition entre le bourgeois égoïste et les deux jeunes filles romanesques, le comique de mots avec l'impromptu et son commentaire...

Mais l'originalité réelle de ce comique réside plutôt dans le défi que lance Molière : comment amener le public de la Cour à rire de ses propres excès sans se sentir blessé.

À retenir
Le comique : Molière a recours à toutes les gammes et tous les ressorts du comique.

À retenir

Dans *Les Précieuses ridicules* : les excès de la préciosité sont dénoncés par Molière.
Une critique de la noblesse : la pièce s'en prend aussi avec subtilité à la noblesse qu'elle cherche pourtant à conquérir.
Une critique de la bourgeoisie : avec Gorgibus, c'est la bourgeoisie égoïste qui est visée.

• **La satire**

Une critique de la préciosité ? Voilà qui serait risqué pour quelqu'un qui veut conquérir la Cour ! Mais ce n'est pas la préciosité que Molière vise : ce sont ses excès et les « *vaines apparences* ». Cathos et Magdelon ne sont pas des précieuses : elles ne sont que deux « *pecques provinciales* » imitant les Parisiennes et n'ayant jamais fréquenté les « ruelles ». Comme dans les pièces qui vont suivre, ce sont les prétentieux que Molière montre du doigt : médecins pleins d'assurance et d'ignorance, bourgeois désireux de vivre comme à la Cour…

Une critique de la noblesse ? « *Les gens de qualité savent tout, sans avoir jamais rien appris* » (Mascarille, scène 9) : dans cette réplique, on croirait presque entendre le personnage de Figaro dans une pièce de Beaumarchais (*Le Mariage de Figaro,* 1784) qui fit scandale à la veille de la Révolution. Ce n'est que Molière, sous le double masque du valet et du marquis, qui tient ces propos osés… Et les « *gens de qualité* », pourtant cruellement épinglés, d'applaudir… Comme dans un pas de danse où l'on avance puis recule, Molière, en fin stratège de la satire, brouille les pistes et éblouit son public. En effet, dans cette réplique de Mascarille sur la noblesse, on peut voir une mécanique à trois temps. Le premier temps, c'est d'abord le sens littéral scandaleux qui fait des marquis et des vicomtes des gens incultes, vantards, ridicules. Mais la Cour présente dans la salle ne s'y trompe pas. Mascarille n'est pas un marquis : il n'est qu'un valet et ses propos n'ont aucune valeur. Et s'il est impossible de confondre un marquis et un laquais, c'est bien que la noblesse a des qualités innées, que jamais un valet ne pourra acquérir ! C'est là le deuxième temps d'une machine qui en réserve un troisième : certes, Mascarille n'est qu'un valet et non un marquis ; mais n'a-t-il pas la voix de l'auteur ? Nous revoilà presque à notre premier sens à ceci près que la noblesse, séduite par l'esprit adroitement insolent du propos, accepte la critique. Lorsque celui qui s'amuse est fin comme Molière, il met les rieurs de son côté.

Une critique de la bourgeoisie ? Sans doute aussi, bien que le personnage de Gorgibus soit fort peu présent. Égoïste et autoritaire, il est à l'origine de l'intrigue dans la mesure où c'est lui qui a décidé (« *vous serez mariées toutes deux* », scène 4) de marier Cathos et Magdelon à La Grange et Du Croisy. Quand les jeunes filles imaginent une vie romanesque, lui ne voit que son propre intérêt financier. À la fin de la pièce, les excès des unes comme de l'autre sont punis ; c'est ce que suggère le pronom « *nous* » dans la dernière réplique de Gorgibus : « *nous allons servir de fable et de risée à tout le monde* » (scène 17). Et si Molière confie à Gorgibus l'ultime mot et fait rire une dernière fois la salle, c'est sans doute pour s'assurer l'approbation de la Cour. La satire sert la stratégie de séduction de Molière en 1659.

UNE NOUVELLE COMÉDIE

• Le choix du présent et la connivence avec le public

Molière établit une complicité avec la salle en lui montrant ce qu'elle connaît. Ainsi, il est question de personnes ou d'événements contemporains : le mercier Perdrigeon, les sièges d'Arras et de Gravelines, ou les Grands Comédiens de l'Hôtel de Bourgogne... Et si la

À retenir
Le choix de l'inscription temporelle : en s'inscrivant dans son temps, la comédie rend possible une connivence entre auteur et spectateurs.

pièce continue à avoir autant de succès, c'est, d'une part, parce que le rire traverse les époques et, d'autre part, parce que la société ne change pas autant qu'on le pense.

L'un des intérêts de cette inscription dans le temps présent est sans doute d'installer une connivence avec le public ; en effet, Molière est directeur de troupe avant d'être auteur et doit en 1659 assurer l'avenir de l'Illustre-Théâtre à Paris. Les marquis et les vicomtes rient, avec le dramaturge, des bourgeois, des provinciales et des prétentieux ; le parterre s'amuse des costumes et de ce langage qui ne ressemble pas au sien. Selon sa culture et sa sensibilité, on rit de la « *furieuse plaie* » cachée sous le haut-de-chausses (scène 11) ou de l'allusion aux premiers échecs de la troupe dans le genre tragique.

• L'« esthétique du ridicule »

À retenir
L'exagération : c'est l'un des procédés de la farce ; chez Molière, elle appartient plutôt à la réalité que le dramaturge veut éclairer.

Dans la tradition de la comédie, Molière fait rire en exagérant : il y a toujours plus de rubans ou de faits d'armes invraisemblables (« *il commandait un régiment de cavalerie sur les galères de Malte* », Jodelet, scène 11). Mais Patrick Dandrey montre comment Molière renouvelle la comédie en inaugurant une « *esthétique du ridicule* » (*Molière ou l'Esthétique du ridicule*, Klincksieck, « Série Littérature », 1992). Le dramaturge ne se contente pas de caricaturer les « gens de qualité » pour en faire des personnages de théâtre ridicules (étymologiquement : « qui provoquent le rire ») : il montre également comment la réalité elle-même est ridicule. Les excès des marquis ou des bourgeois ne sont pas des artifices de scène : ils appartiennent à une réalité que Molière a choisi de représenter. Il suffit d'écouter Mascarille-Molière s'en prendre avec ironie aux Grands Comédiens pour comprendre que ce qu'il y a de novateur est bien l'imitation de la réalité : jouer « *comme l'on parle* ».

• Le spectacle

Si Molière a fait imprimer *Les Précieuses ridicules* en 1660 et s'est retrouvé, malgré lui, auteur (voir la préface de la pièce), c'est d'abord pour protéger sa pièce dont un libraire peu scrupuleux s'était emparé. En effet, cette comédie, comme d'ailleurs les autres œuvres du dramaturge, n'est pas destinée à être lue et « *une grande partie des grâces qu'on y a trouvées dépendent de l'action, et du ton de voix* » (préface de la pièce) : le texte n'est qu'une partition destinée à être jouée. Gorgibus nous rappelle, dans sa dernière réplique, que le théâtre prend toute son épaisseur avec la mise en scène : le « *bon bourgeois* », après s'être donné en spectacle (« *de fable et de risée à tout le monde* », scène 17), bat les musiciens puis termine sur un *plaudite* (une tradition dans la comédie latine faisant intervenir, en fin de pièce, un personnage invitant les spectateurs à faire la fête) comme il n'en existe qu'au théâtre.

À retenir
Un spectacle : « *Le théâtre n'est fait que pour être vu* » (Molière).

Les Précieuses ridicules n'étaient à l'origine qu'une petite comédie en un acte destinée à compléter une représentation de *Cinna*. Molière, lors de son écriture, a fait le choix de renouveler ce genre et de lui donner ses lettres de noblesse sans pour autant renier ses sources populaires. La voie de la comédie de mœurs qui mène vers les grandes œuvres que seront *Tartuffe*, *Dom Juan* ou *Le Misanthrope* est ouverte...

La préciosité

Lorsqu'on parle de préciosité, on ne peut s'empêcher de penser aux expressions ridicules que sont les « *commodités de la conversation* » (scène 9) et le « *conseiller des grâces* » (scène 6) des *Précieuses ridicules* ; sans doute Molière a-t-il contribué ainsi à donner de la préciosité une image négative. En 1659, elle est pourtant à la mode et les « ruelles » réunissent les beaux esprits autour des femmes les plus en vue. Mais elle est aussi controversée car la montée de la bourgeoisie s'accompagne d'un recul des valeurs aristocratiques que la préciosité défend ; de son côté, l'esthétique classique prône une vraisemblance et une mesure bien peu romanesques, en décalage elles aussi avec l'idéal précieux.

LE MONDE DES « RUELLES »

• Le contexte

Le XVIIe siècle est marqué par la montée progressive de l'absolutisme et par la centralisation du pouvoir à Paris. On voit bien, dans *Les Précieuses ridicules*, le mépris de la grande ville pour la province. En dehors de Paris et de la Cour, point de salut. La distribution des rentes, les festivités royales entretiennent une vie de plaisir bien éloignée des valeurs aristocratiques séculaires. On brille plus dans les salons que sur les champs de bataille : Magdelon ne veut-elle pas « *que l'esprit assaisonne la bravoure* » (scène 11).

En accordant une place de choix à la « dame », la littérature courtoise médiévale prépare la vie dans salons où les femmes reçoivent leurs amis. Le code de la galanterie, tel que l'expose Magdelon, est un avatar du périlleux chemin de l'amant dans le *Roman de la Rose* : idéalisation, parcours complexe pour séduire la dame ; la femme, si elle n'est plus en haut de sa tour à décider de la quête du chevalier, est allongée sur son lit à écouter poèmes et compliments. Clé de voûte de la préciosité, elle construit autour d'elle un monde poli, urbain, diamétralement opposé à l'univers masculin de la guerre.

• De la « ruelle » au salon

Le mot *salon*, d'origine italienne, ne fait son apparition qu'en 1676 pour désigner de grandes salles de réception ; dans la première moitié du XVIIe siècle, on reçoit dans les chambres d'apparat, plus exactement dans les « ruelles ». La maîtresse de maison accueille ses amis allongée sur son lit tandis que les visiteurs tirent leur siège dans la « ruelle », cet espace qui sépare le lit du mur de l'alcôve. Une femme, des amis, un jour fixe chaque semaine : la coutume va traverser les siècles, la réception quittant la chambre pour se dérouler dans les salons. Ce sens du mot *ruelle* disparaît et l'usage est maintenant de parler de « salons » pour désigner les réunions mondaines que tiennent Mme de Rambouillet ou Mlle de Scudéry.

• Les principaux salons

Deux grands salons vont marquer le siècle, même si la préciosité se diffuse aussi dans des lieux de moindre notoriété.

Le salon de la marquise de Rambouillet, s'il n'est pas le premier, est l'un des plus célèbres et l'un de ceux qui ont duré le plus longtemps, de 1620 à 1665. Catherine de Rambouillet, d'origine italienne, reçoit dans ses alcôves ses amis, sous la conduite brillante du poète Voiture (1597-1648) ; l'usage est de se choisir un surnom romanesque, le plus souvent tiré de *L'Astrée*, le roman pastoral qu'Honoré d'Urfé publie de 1607 à 1628. La marquise de Rambouillet porte, quant à elle, le nom d'Arthénice, l'anagramme de Catherine. Les habitués se divertissent avec toutes sortes de jeux littéraires et galants. À partir de 1625, la jeune fille de la maison, Julie, fait partie des « alcôvistes » ; Magdelon pense sans doute à elle quand elle trace le long chemin de la galanterie. En effet, pendant vingt ans, Julie sera l'objet de l'amour platonique du duc de Montausier qu'elle n'épousera qu'en 1645, à 38 ans : un modèle (ou une caricature ?) de préciosité.

À partir de 1651, le salon de Mlle de Scudéry commence à compter. Madeleine et son frère Georges composent les dix volumes du *Grand Cyrus* (1649-1653), un roman héroïque dont l'intrigue se déroule en Perse antique ; progressivement, Madeleine en devient le principal auteur et se met à représenter la bonne société qui fréquente son salon ou celui de la marquise de Rambouillet. Elle prend le nom de Sapho et compose (1654-1661), selon le même procédé, un second long roman, *Clélie*, qui prend cette fois-ci pour cadre la Rome antique. Le parcours amoureux de l'héroïne éponyme est semé d'embûches et la « *carte de tendre* » l'aide à trouver son chemin sur le terrain de l'amour galant.

LES VALEURS DE LA PRÉCIOSITÉ

• La défense des femmes

Régis par les femmes, les salons constituent le vivier de la préciosité et les valeurs qu'ils propagent accordent à la femme une place importante. Comme on l'a vu, le parcours galant hérité de la courtoisie fait d'elle un objet de désir et de quête. Sans en arriver aux excès de Julie, la fille de la marquise de Rambouillet, la femme est libre d'accepter ou de refuser, de demander telle ou telle preuve d'amour. En un sens, la préciosité est une forme de féminisme avant l'heure et c'est ainsi que l'on peut comprendre les propos de Magdelon refusant le mariage au nom du « *bel air des choses* » (scène 4). La précieuse se veut libre de ses choix.

• L'amour et la psychologie

L'amour sous sa forme romanesque est au cœur de la préciosité ; du simple compliment de salon au roman en dix volumes, tout ne parle que d'amour ou de galanterie. Car l'amour, comme l'expose Magdelon, ne se réduit pas au sacrement du mariage ; il est codifié, débarrassé de tous ses aspects charnel (l'amour platonique ou l'amitié profonde sont des modèles) ou social (le mariage). Certes, les débordements romanesques font sourire les adeptes de la vraisemblance et l'on est loin, avec *Clélie*, du réalisme du roman du XIXe siècle. Mais la préciosité inaugure la voie de l'analyse psychologique des sentiments ; romanciers et dramaturges ne pourront plus désormais ignorer ce chemin.

• Le raffinement

Pour revenir aux « *commodités de la conversation* » et au « *conseiller des grâces* » évoqués plus haut, Molière, en épinglant les excès et en provoquant le rire, révèle l'un des traits essentiels de la préciosité : son souci de s'écarter du réel, de le gommer ou de le corriger. On reçoit dans la pénombre, on se pose une « mouche » sur le visage, on change de nom... Cathos et Magdelon, rebaptisées Aminte et Polyxène, ne vont-elles pas jusqu'à s'imaginer « *une naissance plus illustre* » (scène 5) ? Ce que le langage et les jeux précieux dessinent, c'est un nouveau visage de la réalité. Le raffinement excessif est l'expression d'une volonté de puissance : l'homme – la femme plutôt – peut changer le monde, le réécrire comme on compose un roman. Le monde délicat des précieux serait alors lu comme une divertissante folie de la « bonne société » ou, plus sérieusement, peut-être comme un univers sans Dieu.

Molière a contribué à donner une image négative de la préciosité en dénonçant ses excès. Au nom de la vérité (« *comme l'on parle* ») et de « *la vertu toute nue* » (dernière réplique de Mascarille), il se moque des « *vaines apparences* » et de cette volonté de recréer un réel à l'image d'un roman. L'esthétique classique, théorisée par Boileau dans son *Art poétique* en 1674, prône la transparence, la simplicité et le vraisemblable. Voilà qui condamne la préciosité.
Mais n'oublions pas que celle-ci, tout en montrant l'importance d'un art de vivre, a ouvert la voie de l'analyse psychologique et affirmé la liberté des femmes.

Groupement de textes :
Les femmes chez Molière

Dans *Les Précieuses ridicules,* Molière met en scène deux jeunes provinciales fascinées par les salons parisiens ; il dénonce leurs prétentions ridicules, la vacuité de leurs propos, leur mépris pour les personnes de condition inférieure. Mais, en épinglant également l'esprit terre à terre et égoïste du barbon Gorgibus, le dramaturge ne condamne pas entièrement les aspirations des deux jeunes filles. Ainsi, cette courte comédie brosse de la femme du XVIIe siècle un portrait complexe : la suite de son œuvre ne fera qu'affiner cette image. On rencontre en effet, dans ses comédies, en province ou à Paris, des femmes prétentieuses et méprisantes : la comtesse d'Escarbagnas, par exemple, ou bien les femmes savantes. D'autres, dénuées de sentiments, sont uniquement intéressées par l'argent (Dorimène dans *Le Mariage forcé* ou Béline dans *Le Malade imaginaire*). Mais les femmes peuvent aussi incarner la raison quand tout dérape : c'est ainsi que, dans *Le Bourgeois gentilhomme*, Mme Jourdain oppose son bon sens populaire à la folie nobiliaire de son mari. Louant la mesure et dénonçant les prétentions, Molière, quoi qu'il en soit, défend la condition féminine : on apprécie, malgré leur sotte prétention, la liberté des précieuses et des femmes savantes ; on suit surtout Chrysalde lorsque, dans *L'École des femmes*, il débat avec l'égoïste Arnolphe du mariage et de l'éducation des femmes.

LA COMTESSE D'ESCARBAGNAS

Dernière commande royale, *La Comtesse d'Escarbagnas* (1671) est une petite comédie-ballet que Molière, fâché avec Lully, compose avec le musicien Charpentier. On y retrouve l'opposition entre Paris et la province : la pièce se déroule en effet à Angoulême et le personnage éponyme rappelle les « *pecques provinciales* » qui se voudraient parisiennes. La scène 2 de l'acte I réunit la Comtesse dont « [la] *sottise tous les jours ne fait que croître et embellir* » (réplique de Julie dans la scène 1), Julie elle-même, Andrée et Criquet, deux domestiques de la Comtesse.

LA COMTESSE. [...] *(Apercevant Criquet.)* Que faites-vous donc là, laquais ? Est-ce qu'il n'y a pas une antichambre, où se tenir pour venir quand on vous appelle ? Cela est étrange qu'on ne puisse avoir en province un laquais qui sache son monde. À qui est-ce donc que je parle ? Voulez-vous vous en aller là-dehors, petit fripon ? Filles, approchez.

ANDRÉE. Que vous plaît-il, Madame ?

LA COMTESSE. Ôtez-moi mes coiffes. Doucement donc, maladroite ! comme vous me saboulez[1] la tête avec vos mains pesantes !

ANDRÉE. Je fais, Madame, le plus doucement que je puis.

LA COMTESSE. Oui ; mais le plus doucement que vous pouvez est fort rudement pour ma tête, et vous me l'avez déboîtée. Tenez encore ce manchon[2]. Ne laissez point traîner tout cela, et portez-le dans ma garde-robe. Hé bien ! où va-t-elle, ou va-t-elle ? que veut-elle faire, cet oison bridé ?

ANDRÉE. Je veux, Madame, comme vous m'avez dit, porter cela aux garde-robes.

notes

1. *saboulez :* malmenez.

2. *manchon :* petit fourreau dans lequel on glisse ses deux mains pour les protéger du froid.

et dessiné par F.Boucher.

Gravé par Lau.Cars.

LA COMTESSE DESCARBAGNAS.

LA COMTESSE. Ah ! mon Dieu, l'impertinente ! *(À Julie.)* Je vous demande pardon, Madame. *(À Andrée.)* Je vous ai dit ma garde-robe, grosse bête, c'est-à-dire où sont mes habits.

ANDRÉE. Est-ce, Madame, qu'à la Cour une armoire s'appelle une garde-robe ?

LA COMTESSE. Oui, butorde ; on appelle ainsi le lieu où l'on met les habits.

ANDRÉE. Je m'en ressouviendrai, Madame, aussi bien que de votre grenier, qu'il faut appeler garde-meuble.

LA COMTESSE. Quelle peine il faut prendre pour instruire ces animaux-là !

JULIE. Je les trouve bien heureux, Madame, d'être sous votre discipline.

LA COMTESSE. C'est une fille de ma mère nourrice, que j'ai mise à la chambre, et elle est toute neuve encore.

JULIE. Cela est d'une belle âme, Madame, et il est glorieux de faire ainsi des créatures.

LA COMTESSE. Allons, des sièges. Holà ! laquais ! laquais ! laquais ! En vérité, voilà qui est violent, de ne pouvoir pas avoir un laquais pour donner des sièges. Filles ! laquais ! laquais ! filles ! quelqu'un ! Je pense que tous mes gens sont morts, et que nous serons contraintes de nous donner des sièges nous-mêmes.

ANDRÉE. Que voulez-vous, Madame ?

LA COMTESSE. Il se faut bien égosiller[1] avec vous autres !

ANDRÉE. J'enfermais votre manchon et vos coiffes dans votre armoi..., dis-je, dans votre garde-robe.

[...]

LA COMTESSE. Ôtez-vous de là, insolente ; je vous renvoirai chez vos parents. Apportez-moi un verre d'eau. *(Faisant des cérémonies pour s'asseoir.)* Madame !

JULIE. Madame !

LA COMTESSE. Ah ! Madame !

JULIE. Ah ! Madame !

LA COMTESSE. Mon Dieu, Madame !

JULIE. Mon Dieu, Madame !

note

1. *égosiller :* crier.

LA COMTESSE. Oh ! Madame !

JULIE. Oh ! Madame !

LA COMTESSE. Eh ! Madame !

JULIE. Eh ! Madame !

LA COMTESSE. Hé ! allons donc, Madame !

JULIE. Hé ! allons donc, Madame !

LA COMTESSE. Je suis chez moi, Madame, nous sommes demeu-rées d'accord de cela. Me prenez-vous pour une provinciale, Madame ?

JULIE. Dieu m'en garde, Madame !

Molière, *La Comtesse d'Escarbagnas*, extrait de la scène 2 de l'acte I, 1671.

LES FEMMES SAVANTES

Dans *Les Femmes savantes*, une comédie en vers élaborée pendant quatre ans et jouée en 1672, Molière reprend le thème des prétentions féminines en mettant en avant le pédantisme plutôt que la préciosité mondaine. Sous l'emprise de Trissotin, un « bel esprit », trois femmes, Philaminte, Bélise sa belle-sœur et Armande l'une de ses deux filles, se piquent de philosophie. Malgré l'opposition des membres raisonnables de la famille, elles prévoient le mariage de Trissotin et d'Henriette, la cadette. Celle-ci veut, quant à elle, épouser Clitandre. Dans la scène 2 de l'acte III, les trois « savantes » prennent la défense des femmes, après avoir admiré les poèmes composés par Trissotin.

ARMANDE

C'est faire à notre sexe une trop grande offense,
De n'étendre l'effort de notre intelligence
Qu'à juger d'une jupe et de l'air d'un manteau,
Ou des beautés d'un point, ou d'un brocart[1] nouveau.

BÉLISE

Il faut se relever de ce honteux partage
Et mettre hautement notre esprit hors de page.

note

1. brocart : étoffe brodée de fils d'or ou d'argent.

TRISSOTIN

Pour les dames on sait mon respect en tous lieux ;
Et, si je rends hommage aux brillants de leurs yeux,
De leur esprit aussi j'honore les lumières.

PHILAMINTE

Le sexe aussi vous rend justice en ces matières ;
Mais nous voulons montrer à de certains esprits,
Dont l'orgueilleux savoir nous traite avec mépris,
Que de science aussi les femmes sont meublées[1] ;
Qu'on peut faire comme eux de doctes[2] assemblées,
Conduites en cela par des ordres meilleurs,
Qu'on y veut réunir ce qu'on sépare ailleurs,
Mêler le beau langage et les hautes sciences,
Découvrir la nature en mille expériences,
Et sur les questions qu'on pourra proposer
Faire entrer chaque secte[3], et n'en point épouser.

TRISSOTIN

Je m'attache pour l'ordre au péripatétisme[4].

PHILAMINTE

Pour les abstractions j'aime le platonisme[5].

ARMANDE

Épicure[6] me plaît, et ses dogmes sont forts.
[...]

PHILAMINTE

La morale a des traits dont mon cœur est épris,
Et c'était autrefois l'amour des grands esprits ;
Mais aux Stoïciens[7] je donne l'avantage
Et je ne trouve rien de si beau que leur sage.

ARMANDE

Pour la langue, on verra dans peu nos règlements,
Et nous y prétendons faire des remuements.

notes

1. *meublées :* pourvues.
2. *doctes :* savantes.
3. *secte :* doctrine.
4. *péripatétisme :* doctrine philosophique d'Aristote.
5. *platonisme :* philosophie de Platon.
6. *Épicure :* philosophe grec.
7. *Stoïciens :* philosophes grecs disciples de Zénon de Cittium.

Par une antipathie ou juste ou naturelle,
Nous avons pris chacune une haine mortelle
Pour un nombre de mots, soit ou verbes ou noms,
Que mutuellement nous nous abandonnons ;
Contre eux nous préparons de mortelles sentences ;
Et nous devons ouvrir nos doctes conférences
Par les proscriptions[1] de tous ces mots divers
Dont nous voulons purger et la prose et les vers.

PHILAMINTE

Mais le plus beau projet de notre académie,
Une entreprise noble, et dont je suis ravie,
Un dessein plein de gloire, et qui sera vanté
Chez tous les beaux esprits de la postérité,
C'est le retranchement de ces syllabes sales,
Qui dans les plus beaux mots produisent des scandales,
Ces jouets éternels des sots de tous les temps,
Ces fades lieux communs de nos méchants plaisants,
Ces sources d'un amas d'équivoques[2] infâmes,
Dont on vient faire insulte à la pudeur des femmes.

TRISSOTIN

Voilà certainement d'admirables projets !

> Molière, *Les Femmes savantes*, extrait de la scène 2 de l'acte III, 1672.

LE MISANTHROPE

Après *Le Tartuffe* et *Dom Juan*, Molière poursuit, avec *Le Misanthrope* (1666), sa chasse aux faux-semblants et dénonce l'hypocrisie sociale incarnée ici par deux mondains : Clitandre et Célimène ; cette dernière est aimée d'Alceste, le misanthrope[3] éponyme, qui tente en vain de démasquer les hypocrites, quitte à se couper du monde.

notes

1. **proscriptions :** interdictions.
2. **équivoques :** malentendus.
3. **misanthrope :** qui n'apprécie pas l'espèce humaine.

ACASTE

Que vous semble d'Adraste ?

CÉLIMÈNE

Ah ! quel orgueil extrême !
C'est un homme gonflé de l'amour de soi-même.
Son mérite jamais n'est content de la Cour :
Contre elle il fait métier de pester chaque jour,
Et l'on ne donne emploi, charge ni bénéfice,
Qu'à tout ce qu'il se croit on ne fasse injustice.

CLITANDRE

Mais le jeune Cléon, chez qui vont, aujourd'hui,
Nos plus honnêtes gens, que dites-vous de lui ?

CÉLIMÈNE

Que de son cuisinier il s'est fait un mérite,
Et que c'est à sa table à qui l'on rend visite.

ÉLIANTE

Il prend soin d'y servir des mets fort délicats.

CÉLIMÈNE

Oui ; mais je voudrais bien qu'il ne s'y servît pas :
C'est un fort méchant plat que sa sotte personne,
Et qui gâte, à mon goût, tous les repas qu'il donne.

PHILINTE

On fait assez de cas de son oncle Damis :
Qu'en dites-vous, madame ?

CÉLIMÈNE

Il est de mes amis.

PHILINTE

Je le trouve honnête homme, et d'un air assez sage.

CÉLIMÈNE

Oui ; mais il veut avoir trop d'esprit, dont j'enrage ;
Il est guindé[1] sans cesse ; et dans tous ses propos,
On voit qu'il se travaille à dire de bons mots.
Depuis que dans la tête il s'est mis d'être habile,
Rien ne touche son goût, tant il est difficile ;
Il veut voir des défauts à tout ce qu'on écrit,

note

1. *guindé :* artificiel.

Et pense que louer n'est pas d'un bel esprit,
Que c'est être savant que trouver à redire,
Qu'il n'appartient qu'aux sots d'admirer et de rire,
Et qu'en n'approuvant rien des ouvrages du temps,
Il se met au-dessus de tous les autres gens ;
Aux conversations même il trouve à reprendre :
Ce sont propos trop bas pour y daigner descendre ;
Et les deux bras croisés, du haut de son esprit
Il regarde en pitié tout ce que chacun dit.

ACASTE
Dieu me damne, voilà son portrait véritable.

CLITANDRE
Pour bien peindre les gens vous êtes admirable.

ALCESTE
Allons, ferme, poussez[1], mes bons amis de Cour ;
Vous n'en épargnez point, et chacun a son tour :
Cependant aucun d'eux à vos yeux ne se montre,
Qu'on ne vous voie, en hâte, aller à sa rencontre,
Lui présenter la main, et d'un baiser flatteur
Appuyer les serments d'être son serviteur.

> Molière, *Le Misanthrope*, extrait de la scène 4 de l'acte II, 1666.

LE MARIAGE FORCÉ

Petite comédie-ballet créée pour répondre à une commande royale, *Le Mariage forcé* (1664) met en scène une « *jeune coquette* » dont la conception intéressée du mariage annonce celle de Béline dans *Le Malade imaginaire* (voir plus loin).

Scène 7. DORIMÈNE, LYCASTE, SGANARELLE

LYCASTE. Quoi ? belle Dorimène, c'est sans raillerie[2] que vous parlez ?

DORIMÈNE. Sans raillerie.

notes

1. *ferme, poussez :* termes d'escrime.

2. *sans raillerie :* sérieusement.

LYCASTE. Vous vous mariez tout de bon ?

DORIMÈNE. Tout de bon.

LYCASTE. Et vos noces se feront dès ce soir ?

DORIMÈNE. Dès ce soir.

LYCASTE. Et vous pouvez, cruelle que vous êtes, oublier de la sorte l'amour que j'ai pour vous, et les obligeantes paroles que vous m'aviez données ?

DORIMÈNE. Moi ? Point du tout. Je vous considère toujours de même, et ce mariage ne doit point vous inquiéter : c'est un homme que je n'épouse point par amour, et sa seule richesse me fait résoudre à l'accepter. Je n'ai point de bien ; vous n'en avez point aussi, et vous savez que sans cela on passe mal le temps au monde, qu'à quelque prix que ce soit, il faut tâcher d'en avoir. J'ai embrassé[1] cette occasion-ci de me mettre à mon aise ; et je l'ai fait sur l'espérance de me voir bientôt délivrée du barbon[2], que je prends. C'est un homme qui mourra avant qu'il soit peu, et qui n'a tout au plus que six mois dans le ventre. Je vous le garantis défunt dans le temps que je dis ; et je n'aurai pas longuement à demander pour moi au Ciel l'heureux état de veuve. Ah ! nous parlions de vous, et nous en disions tout le bien qu'on en saurait dire.

LYCASTE. Est-ce là, Monsieur... ?

DORIMÈNE. Oui, c'est Monsieur qui me prend pour femme.

Molière, *Le Mariage forcé*, extrait de la scène 7, 1664.

LE BOURGEOIS GENTILHOMME

M. Jourdain aimerait ressembler à un gentilhomme et cette folle ambition sociale en fait la proie d'un noble désargenté et sans scrupule : Dorante. Dans cette comédie-ballet (1670), fruit de la collaboration entre Molière et Lully, les femmes incarnent la mesure et le bon sens. Ainsi, Mme Jourdain tente en vain d'empêcher son mari de donner de l'argent à Dorante.

notes

1. *embrassé* : saisi.   2. *barbon* : vieillard.

DORANTE. Cela vous incommodera-t-il de me donner ce que je vous dis ?

M. JOURDAIN. Eh non !

MME JOURDAIN, *bas, à M. Jourdain.* Cet homme-là fait de vous une vache à lait.

M. JOURDAIN, *bas, à Mme Jourdain.* Taisez-vous.

DORANTE. Si cela vous incommode, j'en irai chercher ailleurs.

M. JOURDAIN. Non, monsieur.

MME JOURDAIN, *bas, à M. Jourdain.* Il ne sera pas content, qu'il ne vous ait ruiné.

M. JOURDAIN, *bas, à Mme Jourdain.* Taisez-vous, vous dis-je.

DORANTE. Vous n'avez qu'à me dire si cela vous embarrasse.

M. JOURDAIN. Point, monsieur.

MME JOURDAIN, *bas, à M. Jourdain.* C'est un vrai enjôleux[1].

M. JOURDAIN, *bas, à Mme Jourdain.* Taisez-vous donc.

MME JOURDAIN, *bas, à M. Jourdain.* Il vous sucera jusqu'au dernier sou.

M. JOURDAIN, *bas, à Mme Jourdain.* Vous tairez-vous ?

DORANTE. J'ai force gens qui m'en prêteraient avec joie ; mais comme vous êtes mon meilleur ami, j'ai cru que je vous ferais tort si j'en demandais à quelque autre.

M. JOURDAIN. C'est trop d'honneur, monsieur, que vous me faites. Je vais quérir[2] votre affaire.

MME JOURDAIN, *bas, à M. Jourdain.* Quoi ? vous allez encore lui donner cela ?

M. JOURDAIN, *bas, à Mme Jourdain.* Que faire ? Voulez-vous que je refuse un homme de cette condition-là, qui a parlé de moi ce matin dans la chambre du Roi ?

MME JOURDAIN, *bas, à M. Jourdain.* Allez, vous êtes une vraie dupe[3].

Acte III, scène 5. DORANTE, MME JOURDAIN, NICOLE

DORANTE. Vous me semblez toute mélancolique : qu'avez-vous, madame Jourdain ?

notes

1. *enjôleux :* flatteur, manipulateur.
2. *quérir :* chercher.
3. *dupe :* personne facile à tromper.

MME JOURDAIN. J'ai la tête plus grosse que le poing et si elle n'est pas enflée.

DORANTE. Mademoiselle votre fille, où est-elle, que je ne la vois point ?

MME JOURDAIN. Mademoiselle ma fille est bien où elle est.

DORANTE. Comment se porte-t-elle ?

MME JOURDAIN. Elle se porte sur ses deux jambes.

DORANTE. Ne voulez-vous point, un de ces jours, venir voir, avec elle, le ballet et la comédie que l'on fait chez le Roi ?

MME JOURDAIN. Oui, vraiment, nous avons fort envie de rire, fort envie de rire nous avons.

DORANTE. Je pense, madame Jourdain, que vous avez eu bien des amants dans votre jeune âge, belle et d'agréable humeur comme vous étiez.

MME JOURDAIN. Trédame, monsieur, est-ce que Mme Jourdain est décrépite, et la tête lui grouille-t-elle déjà ?

DORANTE. Ah ! ma foi ! madame Jourdain, je vous demande pardon. Je ne songeais pas que vous êtes jeune, et je rêve le plus souvent. Je vous prie d'excuser mon impertinence.

Molière, *Le Bourgeois gentilhomme*, extrait des scènes 4 et 5 de l'acte III, 1670.

L'ÉCOLE DES FEMMES

L'École des femmes est jouée pour la première fois en 1662 et le succès est immédiat. Molière y met en scène Arnolphe, un homme possessif qui tient à l'écart du monde et du savoir, Agnès, la jeune fille qu'il compte épouser. Mais l'intrigue donne tort à ce barbon égoïste car Agnès s'éprend d'Horace. Dans la scène d'exposition, Arnolphe présente sa vision des femmes et l'éducation qu'il a donnée à Agnès.

ARNOLPHE
Épouser une sotte est pour n'être point sot.
Je crois, en bon chrétien, votre moitié fort sage ;
Mais une femme habile est un mauvais présage ;
Et je sais ce qu'il coûte à de certaines gens
Pour avoir pris les leurs avec trop de talents.

Moi, j'irais me charger d'une spirituelle
Qui ne parlerait rien que cercle[1] et que ruelle[2],
Qui de prose et de vers ferait de doux écrits,
Et que visiteraient marquis et beaux esprits,
Tandis que, sous le nom du mari de Madame,
Je serais comme un saint que pas un ne réclame ?
Non, non, je ne veux point d'un esprit qui soit haut,
Et femme qui compose en sait plus qu'il ne faut.
Je prétends que la mienne, en clartés peu sublime,
Même ne sache pas ce que c'est qu'une rime ;
Et s'il faut qu'avec elle on joue au corbillon[3]
Et qu'on vienne à lui dire à son tour : « Qu'y met-on ? »,
Je veux qu'elle réponde : « Une tarte à la crème » ;
En un mot, qu'elle soit d'une ignorance extrême ;
Et c'est assez pour elle, à vous en bien parler,
De savoir prier Dieu, m'aimer, coudre, et filer.

CHRYSALDE

Une femme stupide est donc votre marotte[4] ?

ARNOLPHE

Tant, que j'aimerais mieux une laide bien sotte
Qu'une femme fort belle avec beaucoup d'esprit.

CHRYSALDE

L'esprit et la beauté...

ARNOLPHE

　　　　　　　　L'honnêteté suffit.

CHRYSALDE

Mais comment voulez-vous, après tout, qu'une bête
Puisse jamais savoir ce que c'est qu'être honnête ?
Outre qu'il est assez ennuyeux, que je crois,
D'avoir toute sa vie une bête avec soi,
Pensez-vous le bien prendre, et que sur votre idée
La sûreté d'un front puisse être bien fondée ?
Une femme d'esprit peut trahir son devoir ;

notes

1. cercle : groupe d'amis.
2. ruelle : salon.
3. corbillon : jeu de société où il faut fournir le plus possible de rimes en « on ».
4. marotte : idée fixe.

Mais il faut pour le moins qu'elle ose le vouloir ;
Et la stupide au sien peut manquer d'ordinaire,
Sans en avoir l'envie et sans penser le faire.

ARNOLPHE

À ce bel argument, à ce discours profond,
Ce que Pantagruel à Panurge[1] répond :
Pressez-moi de me joindre à femme autre que sotte,
Prêchez, patrocinez[2] jusqu'à la Pentecôte,
Vous serez ébahi, quand vous serez au bout,
Que vous ne m'aurez rien persuadé du tout.

CHRYSALDE

Je ne vous dis plus mot.

ARNOLPHE

                Chacun a sa méthode.
En femme, comme en tout, je veux suivre ma mode.
Je me vois riche assez pour pouvoir, que je crois,
Choisir une moitié qui tienne tout de moi,
Et de qui la soumise et pleine dépendance
N'ait à me reprocher aucun bien ni naissance.
Un air doux et posé, parmi d'autres enfants,
M'inspira de l'amour pour elle dès quatre ans ;
Sa mère se trouvant de pauvreté pressée,
De la lui demander il me vint la pensée ;
Et la bonne paysanne, apprenant mon désir,
À s'ôter cette charge eut beaucoup de plaisir.
Dans un petit couvent, loin de toute pratique,
Je la fis élever selon ma politique,
C'est-à-dire ordonnant quels soins on emploierait
Pour la rendre idiote autant qu'il se pourrait.
Dieu merci, le succès a suivi mon attente ;
Et grande, je l'ai vue à tel point innocente,
Que j'ai béni le Ciel d'avoir trouvé mon fait,
Pour me faire une femme au gré de mon souhait.
Je l'ai donc retirée ; et comme ma demeure

note

1. Pantagruel, Panurge : deux personnages que l'on trouve dans les œuvres de François Rabelais.

2. patrocinez : discourez.

À cent sortes de monde est ouverte à toute heure,
Je l'ai mise à l'écart, comme il faut tout prévoir,
Dans cette autre maison où nul ne me vient voir ;
Et pour ne point gâter sa bonté naturelle,
Je n'y tiens que des gens tout aussi simples qu'elle.

Molière, L'École des femmes, extrait de la scène 1 de l'acte I, 1662.

LE MALADE IMAGINAIRE

Le Malade imaginaire est représenté pour la première fois le 10 février 1673. Le 17, jour anniversaire de la mort de Madeleine Béjart, Molière met un point d'honneur à jouer la pièce bien qu'il soit gravement malade. Pris de convulsion sur scène, il meurt quelques heures plus tard.

Ayant perdu les faveurs du roi qui lui préfère Lully, Molière dénonce une dernière fois les prétentions et les intérêts personnels. Il met en scène des médecins et une femme machiavélique, Béline, qui est la seconde épouse d'Argan, le « *malade imaginaire* ». Celle-ci a l'intention de récupérer la fortune de son mari. Toinette, la servante, qui a deviné ses projets, suggère à Argan de « *contrefaire le mort* ». La scène est jouée une seconde fois devant Angélique, la fille d'un premier mariage d'Argan. Le procédé de « théâtre dans le théâtre » permet d'opposer deux personnages féminins.

Acte III, scène 12. BÉLINE, TOINETTE, ARGAN, BÉRALDE

TOINETTE *s'écrie*. Ah, mon Dieu ! Ah, malheur ! Quel étrange accident !

BÉLINE. Qu'est-ce, Toinette ?

TOINETTE. Ah, madame !

BÉLINE. Qu'y a-t-il ?

TOINETTE. Votre mari est mort.

BÉLINE. Mon mari est mort ?

TOINETTE. Hélas ! oui. Le pauvre défunt est trépassé.

BÉLINE. Assurément ?

TOINETTE. Assurément. Personne ne sait encore cet accident-là, et je me suis trouvée ici toute seule. Il vient de passer entre mes bras. Tenez, le voilà de tout son long dans cette chaise.

BÉLINE. Le Ciel en soit loué ! Me voilà délivrée d'un grand fardeau. Que tu es sotte, Toinette, de t'affliger de cette mort !

TOINETTE. Je pensais, madame, qu'il fallût pleurer.

BÉLINE. Va, va, cela n'en vaut pas la peine. Quelle perte est-ce que la sienne ? et de quoi servait-il sur la Terre ? Un homme incommode[1] à tout le monde, malpropre, dégoûtant, sans cesse un lavement ou une médecine dans le ventre, mouchant, toussant, crachant toujours, sans esprit, ennuyeux, de mauvaise humeur, fatiguant sans cesse les gens, et grondant jour et nuit servantes et valets.

TOINETTE. Voilà une belle oraison funèbre[2].

BÉLINE. Il faut, Toinette, que tu m'aides à exécuter mon dessein, et tu peux croire qu'en me servant ta récompense est sûre. Puisque, par un bonheur, personne n'est encore averti de la chose, portons-le dans son lit, et tenons cette mort cachée, jusqu'à ce que j'aie fait mon affaire. Il y a des papiers, il y a de l'argent dont je me veux saisir, et il n'est pas juste que j'aie passé sans fruit auprès de lui mes plus belles années. Viens, Toinette : prenons auparavant toutes ses clefs.

ARGAN, *se levant brusquement.* Doucement.

BÉLINE, *surprise et épouvantée.* Aïe !

ARGAN. Oui, madame ma femme, c'est ainsi que vous m'aimez ?

TOINETTE. Ah, ah ! le défunt n'est pas mort.

ARGAN, *à Béline qui sort.* Je suis bien aise de voir votre amitié, et d'avoir entendu le beau panégyrique[3] que vous avez fait de moi. Voilà un avis au lecteur[4] qui me rendra sage à l'avenir, et qui m'empêchera de faire bien des choses.

BÉRALDE, *sortant de l'endroit où il s'est caché.* Hé bien, mon frère, vous le voyez.

notes

1. **incommode :**
désagréable.
2. **oraison funèbre :**
discours prononcé à
l'occasion d'un enterrement.

3. **panégyrique :** éloge
public.
4. **avis au lecteur :**
indication portée au début
d'un livre.

TOINETTE. Par ma foi ! je n'aurais jamais cru cela. Mais j'entends votre fille : remettez-vous comme vous étiez, et voyons de quelle manière elle recevra votre mort. C'est une chose qu'il n'est pas mauvais d'éprouver ; et puisque vous êtes en train, vous connaîtrez par là les sentiments que votre famille a pour vous.

Acte III, scène 13. ANGÉLIQUE, ARGAN, TOINETTE, BÉRALDE

TOINETTE *s'écrie*. Ô Ciel ! ah, fâcheuse aventure ! Malheureuse journée !

ANGÉLIQUE. Qu'as-tu, Toinette, et de quoi pleures-tu ?

TOINETTE. Hélas ! j'ai de tristes nouvelles à vous donner.

ANGÉLIQUE. Hé quoi ?

TOINETTE. Votre père est mort.

ANGÉLIQUE. Mon père est mort, Toinette ?

TOINETTE. Oui ; vous le voyez là. Il vient de mourir tout à l'heure d'une faiblesse qui lui a pris.

ANGÉLIQUE. Ô Ciel ! quelle infortune ! quelle atteinte cruelle ! Hélas ! faut-il que je perde mon père, la seule chose qui me restait au monde ? et qu'encore, pour un surcroît de désespoir, je le perde dans un moment où il était irrité contre moi ? Que deviendrai-je, malheureuse, et quelle consolation trouver après une si grande perte ?

Molière, *Le Malade imaginaire*, scènes 12 et 13 de l'acte III, 1673.

Bibliographie, filmographie

BIBLIOGRAPHIE

Molière et les prétentieux

L'Amour médecin, Hachette Livre, coll. « Bibliocollège », n° 76 (édité avec une autre œuvre : *Le Médecin volant*).
Le Bourgeois gentilhomme, Hachette Livre, coll. « Bibliocollège », n° 33.
Les Femmes savantes, Hachette Livre, coll. « Bibliocollège », n° 18.
Le Malade imaginaire, Hachette Livre, coll. « Bibliocollège », n° 5.

Sur Molière et Les Précieuses ridicules

Alfred Simon, *Molière*, éd. du Seuil, coll. « Écrivains de toujours », 1997.
Jean-Daniel Mallet, *Les Précieuses ridicules, Les Femmes savantes*, Hatier, coll. « Profil d'une œuvre », 1996.

Sur le théâtre

Georges Mongrédien, *La Vie quotidienne des comédiens au temps de Molière,* Hachette, coll. « La Vie quotidienne », 1966.
Gabriel Conesa, *La Comédie de l'âge classique (1630-1715),* éd. du Seuil, coll. « Écrivains de toujours », 1995.
Alain Viala, *Histoire du théâtre*, Presses universitaires de France (PUF), coll. « Que sais-je ? », 2005.
Anne-Marie Bonnabel et Marie-Lucile Milhaud, *À la découverte du théâtre*, éd. Ellipses, coll. « Réseau », 2000.

FILMOGRAPHIE

Molière, réalisation d'Ariane Mnouchkine, 1978.
Molière, réalisation de Laurent Tirard, 2007.
Les Précieuses ridicules, réalisation de Léonce Perret, 1934.
Les Précieuses ridicules, mise en scène de Jean-Luc Boutté à la Comédie-Française, réalisation de Georges Bensoussan, 1997.